DÍAS APASIONANTES

NAOISE DOLAN

DÍAS APASIONANTES

Traducción de Esther Cruz Santaella

Título original: *Exciting Times*

Corrección de estilo a cargo de Ana Robla

temas de hoy, un sello editorial de Editorial Planeta, S. A.
Avda. Diagonal, 662-664, 08034 Barcelona (España)
www.planetadelibros.com

Primera edición: enero de 2021
ISBN: 978-84-9998-839-9
Depósito legal: B. 21.764-2020
Composición: Realización Planeta
Impresión y encuadernación: Huertas Industrias Gráficas
Printed in Spain - Impreso en España

El papel utilizado para la impresión de este libro está calificado como **papel ecológico** y procede de bosques gestionados de manera **sostenible**.

Para mi abuela

PARTE I
JULIAN

1

Julio de 2016

Julian, mi amigo banquero, me llevó a almorzar por primera vez en julio, el mes de mi llegada a Hong Kong. Se me había olvidado en qué salida de la estación habíamos quedado, pero me llamó para decirme que me había visto delante de la Kee Wah Bakery y que lo esperase allí. Hacía humedad. Por los torniquetes salían portadores de maletines al ritmo del *clonc*, como burras para la cría. En la megafonía resonaba un mensaje en cantonés, luego en mandarín y por último una mujer británica que nos recordaba lo del hueco entre andén y vagón, *please mind the gap*.

Mientras cruzábamos el vestíbulo y subíamos las escaleras, fuimos hablando de lo atestada que estaba Hong Kong. Julian dijo que Londres era más tranquila y yo añadí que Dublín igual. En el restaurante, dejó el móvil bocabajo sobre la mesa, así que yo hice lo mismo, como si para mí eso también representara un sacrificio profesional. Consciente de que pagaría él, le pregunté si quería agua, pero mientras terminaba de decírselo levantó la jarra y sirvió.

—Ando muy ocupado en el trabajo —dijo—. Me cuesta hasta enterarme de qué puñetas estoy haciendo.

Típico comentario de banqueros. Cuanto menos conocimiento profesaban, más sabían y más les pagaban.

Le pregunté dónde había vivido antes de Hong Kong y me dijo que había estudiado historia en Oxford. La gente que había ido a Oxford siempre te lo contaba aunque no se lo hubieses preguntado. Luego, como «todo el mundo», se fue a trabajar a Londres, a la City. «¿Qué es eso?», le dije. Julian evaluó si las mujeres éramos capaces de gastar bromas, decidió que sí y se echó a reír. Le comenté que yo no sabía dónde iba a acabar. Me preguntó cuántos años tenía, le respondí que acababa de cumplir veintidós y me dijo que era una niña chica, que ya lo averiguaría.

Nos terminamos las ensaladas y Julian me preguntó si ya había tenido alguna cita en Hong Kong. Le dije que en realidad no, con la sensación de que el adverbio «ya» funcionaba de manera contradictoria y que podría haber elegido una alternativa más acertada. En Irlanda, le expliqué, no se tenían «citas». Te liabas con alguien y pasado un tiempo llegabais a un entendimiento.

—Entonces es como en Londres, ¿no? —dijo Julian.

—No lo sé, nunca he estado.

—Que «nunca has estado» en Londres.

—No.

—Pero ¿nunca?

—Nunca —contesté tras hacer una pausa lo bastante larga para convencerlo de que, ante su insistencia, había intentado cambiar ese dato de mi expediente personal y sentía mucho no haberlo conseguido.

—Me parece increíble, Ava.

—¿Por qué?

—Desde Dublín no se tarda nada en avión.

Yo también me sentía decepcionada. Él nunca había estado en Irlanda, pero habría sido redundante explicarle que a la inversa se tardaba lo mismo.

Comentamos los titulares. Julian había leído en el *Financial Times* que el renminbi *offshore* había bajado frente al dólar. La única noticia que yo pude ofrecerle fue que se acercaba una tormenta tropical. «Sí, la Mirinae. Y un tifón para la semana siguiente», dijo. Los dos coincidimos en que nos había tocado vivir días apasionantes.

Llegaron las dos tormentas. Aparte de eso, seguimos yendo a almorzar juntos. «Me alegro de que seamos amigos», me decía, y a mí jamás se me habría ocurrido corregir a un hombre que había estudiado la carrera en el Balliol College. Creía que pasar tiempo con él me haría más inteligente, o que al menos así estaría más preparada para hablar sobre divisas e índices con la gente seria que iba a conocer en el desarrollo de mi vida adulta. Nos llevábamos bien. Yo disfrutaba de su dinero y él, de la facilidad con la que el dinero me impresionaba a mí.

2

En Dublín estaba triste, decidí que Dublín tenía la culpa y pensé que Hong Kong me ayudaría.

La escuela donde enseñaba inglés como lengua extranjera estaba en un distrito comercial con torres de color pastel. Allí solo contrataban a gente blanca, aunque se aseguraban de no ponerlo por escrito. Los profesores se iban y llegaban otros nuevos para sustituirlos, como los dientes de un tiburón. La mayoría eran mochileros que se marchaban en cuanto habían ahorrado lo suficiente para encontrarse a sí mismos en Tailandia. Yo encontrarme no me había encontrado, pero dudaba que los tailandeses pudieran ayudarme a hacerlo. Como me faltaba simpatía, me asignaban sobre todo clases de gramática, en las que no caerles bien a los niños se consideraba un indicador positivo de rendimiento. Una manera de evaluar a las mujeres que me pareció estimulante, por ser distinta a las de siempre.

Los alumnos venían a clases semanales. Dábamos todas

las horas seguidas, una tras otra, quitando el almuerzo. Me acabaron apodando Doña Escaqueo por escabullirme entre clases para orinar.

—Ava, ¿dónde te habías metido? —me dijo Joan, mi jefa (una, santa y apostólica, porque eso daba dinero, pero católica no, que no lo daba), al volver de una de esas pausas para el baño.

Fue de las primeras personas de Hong Kong a las que conocí.

—Han sido solo cinco minutos.

—¿Y esos minutos de dónde salen? Los padres pagan por sesenta minutos a la semana.

—¿Y no podría terminar mi clase un poco antes? Luego empezaría la siguiente un poco después. Dos minutos de una y dos de la otra.

—Pero eso serían dos minutos del comienzo y dos del final de la clase que tocase en medio.

Pese a que intentó gesticular, le resultó complicado representar un sándwich de tres clases porque Joan era una persona con dos manos. Desistió de la tarea con un agrio suspiro, como si yo tuviera la culpa.

Me vi en la necesidad de elevar aquello a una instancia superior.

Nuestro director, Benny, tenía cuarenta años y llevaba siempre una gorra de béisbol colocada para atrás, ya fuese con intención de aparentar que le encantaba trabajar con críos o para subrayar que era su propio jefe y no se vestía para agradar a nadie, ni siquiera a sí mismo. Nacido en Hong Kong, educado en Canadá, repatriado y próspero, Benny era dueño de otras diez o doce escuelas y (qué evocador me resultaba esto) de una empresa de algas irlandesa. Sobre esta última decía que estaba ubicada en «la vieja» Connemara, un sitio en el que ni él ni yo habíamos estado nunca; supuse que sería para enfatizar lo poético del asunto. Benny tenía la última palabra para todo, y para todo también tenía el puño cerrado.

Cuando vino a pagarme a finales de julio, le dije que estaba pensando en marcharme.

—¿Por qué? Si llevas aquí un mes...

—Necesito ir al baño entre clases. Me va a dar una cistitis si no.

—El trabajo no lo dejas por eso.

Tenía razón. No lo había dejado tras ver su política racista de contratación, aparte de otras cosas, así que habría sido raro largarme solo por no poder mear cuando quisiera.

Admitía estar dispuesta a hacer cualquier cosa por dinero. Cuando iba a la universidad, en Irlanda, tenía una cuenta de ahorros a la que puse el encantador apelativo de «fondo para abortos». Al final, acumulé mil quinientos euros en esa cuenta. Conocía a mujeres que ahorraban con sus amigas y entre todas ayudaban a la que tuviese mala suerte. Pero yo no me fiaba de nadie. Reuní el dinero trabajando de camarera y no dejé de incrementar la cantidad cuando ya tuve suficiente para pagarme el procedimiento en Inglaterra. Me gustaba ver subir el balance. Cuanto más rica me hacía, más complicado era que alguien pudiese obligarme a hacer algo.

Justo antes de marcharme a Hong Kong tuve el último examen. Conforme nos iban repartiendo las hojas, yo contaba las horas que había pasado sirviendo mesas. Había semanas de mi vida en aquella cuenta de ahorros. Mientras viviese en Irlanda, y mientras el aborto fuese ilegal allí, iba a tener que mantener bloqueados mis tiempos muertos.

Esa misma noche gasté buena parte del dinero en reservar un vuelo a Hong Kong y una habitación para el primer mes, y me puse a mandar solicitudes de trabajo de profesora. Me marché de Dublín tres semanas después.

La semana que empecé, me explicaron los rasgos más comunes del inglés hongkonés y me dijeron que tenía que corregir a los niños cuando los usaran. Decir «I go already» en vez de «I went» estaba mal, aunque tras pasar unos días allí yo ya lo entendía perfectamente. Usar «lah» para dar énfasis («No, lah», «Sorry, lah») no se consideraba inglés. Para mí no había ninguna diferencia entre hacer eso y colocar un «sure» donde encartase, como se hacía en Irlanda. Las dos partículas tenían una función similar, *sure*, pero nada de eso era inglés. Inglés era el inglés británico.

3

Agosto

Julian no se molestaba en salir a la calle para recogerme en el trabajo, así que empecé a irme directa a su piso, en Mid-Levels, sobre las nueve de la noche. Le dije que me parecía una situación incómoda y humillante. En realidad, me gustaba usar las escaleras mecánicas exteriores que subían a su barrio. Entraba a aquellos pasadizos cubiertos a la altura de Queen's Road y emprendía el ascenso, pasando primero por encima de los puestecillos de Stanley Street, luego sobre los letreros luminosos (Game & Fun, Happy Massage, King Tailor) y seguidamente sobre los rascacielos y ventanales enormes de Wellington Street. Después surgían el aroma a pescado, que ascendía flotando desde el Central Street Market, y la antigua comisaría de ladrillos blancos y gruesos, apilados unos sobre otros como gomas de borrar. Al llegar al edificio de Julian, me entregaban una tarjeta de visitante en el vestíbulo y subía a la planta decimoquinta.

Por dentro, el piso de Julian parecía un muestrario de esos por los que se esparcen cosas sin mucha convicción, cosas que podrían pertenecer a cualquiera. El objeto más claramente personal de Julian era un MacBook Pro grande y gris.

Pedíamos comida, yo fregaba los platos y luego Julian servía un vino y nos poníamos a hablar en el salón. La repisa de la chimenea no tenía encima nada más que un marco de fotos de plata vacío y unas velas color crema que nunca se habían encendido. Junto a la ventana había un sofá esquinero, largo y marrón. Yo me quitaba los zapatos y me tumbaba con los pies en el reposabrazos, cruzando una pierna sobre la otra y alternándolas durante los vacíos de la conversación.

Julian fumaba tabaco barato. Para animarse a dejarlo, decía.

Nos habíamos conocido en la zona para fumadores de un bar de Lan Kwai Fong; él se había dado cuenta de que lo estaba mirando, o había empezado a mirarme antes de que yo le devolviese la mirada. Se le daba bien manejar ambigüedades. A mí se me daba mal evitarlas. Aquella noche Julian había hablado muy lento y di por hecho que estaba borracho, pero luego siguió haciéndolo sobrio, así que comprendí que era rico, nada más.

Al mes de estar quedando, me preguntó:

—¿Conoces a todos tus amigos en bares?

—No tengo amigos —le dije.

Se rio.

Cuando se le antojaba me hablaba de los mercados. Cuando no, me acribillaba a preguntas, a cuyas respuestas solo prestaba la atención justa que le permitiese pensar en más preguntas que encadenar. Ya se lo había contado, pero quería escucharlo todo de nuevo: los dos hermanos, el adosado marrón en una hilera de casas de uno de los barrios periféricos más deprimentes de Dublín, que dejé los estudios durante un año tras acabar la secundaria para ahorrar para la universidad. Que a partir de 2008 compartí habitación con mi hermano Tom para alquilarle la otra a un estudiante. Que nada de eso nos convertía en pobres, y que en realidad era lo que le había pasado más o menos a toda Irlanda, debido en no poca medida a las actividades de bancos como el suyo.

Julian había cursado la secundaria interno en Eton y era hijo único. Esos dos datos eran los menos sorprendentes que una persona me hubiese contado jamás sobre sí misma.

Le interesaba saber si donde yo vivía mi acento se consideraba pijo. Nunca me había topado con ninguna persona inglesa que no se planteara lo mismo. La mayoría no te lo preguntaban abiertamente (él tampoco lo hizo, solo me dijo que qué «tipo» de acento dublinés tenía), pero encontraban alguna otra manera de satisfacer su curiosidad. Le respondí que tenía un acento dublinés normal. Me preguntó qué significaba eso. Yo no sabía lo suficiente sobre acentos británicos para hacer una comparación.

—Bueno, ¿cómo suena un acento dublinés pijo? —me dijo entonces.

Traté de imitarlo y dijo que sonaba a estadounidense.

Me preguntó qué tenía pensado hacer con mi vida cuando llegase la hora de buscar un trabajo de verdad. Insistió con una tozudez casi paternal en que no desperdiciase mi titulación trabajando en empresas menores, e incluso resultó convincente cuando dijo, con la boca pequeña, que no me consideraba menos por no haber estudiado en Oxford. Sin embargo, cuando pasamos a comentar qué trabajos creía apropiados para mí, respondió con vaguedad. La abogacía era un trabajo de oficina con pretensiones. La asesoría consistía en plantarse en mitad de ninguna parte a pasearse con un PowerPoint. La contabilidad era aburrida y no estaba bien pagada. Y la banca, de manera un tanto indefinida, no iba conmigo.

Me gustaba cuando se remangaba. Tenía unas muñecas grandes y cuadradas y unos codos prominentes. A veces me preocupaba que se diese cuenta de lo a menudo que pensaba yo en sus brazos. No paraba de llamarme bicho raro por otro tipo de cosas mucho menos extrañas, así que no podía confesarme culpable también de esa.

La primera vez que me quedé en la habitación de invitados estábamos a mediados de agosto, cuando llegó la tormenta tropical Dianmu. A raíz de eso, Julian siempre se ofrecía a darme alojamiento cuando se acercaba la medianoche. Según las energías que me quedaran, aceptaba o me iba a casa en el microbús verde; las escaleras mecánicas solo funcionaban en una dirección cada vez: bajaban durante la hora punta de la mañana y subían el resto del día.

Así eran las cosas, aunque no tenían nombre más allá de salir, quedar o pasarse a charlar un rato, términos que, en honor a la verdad, coincidían con el contenido de lo que hacíamos. Julian iba siempre tan justo de tiempo que me parecía medianamente plausible que prefiriese quedar en su piso por comodidad y nada más.

Le pregunté si los banqueros tenían tiempo para mantener relaciones.

—Los de categorías inferiores, normalmente no. Muchos lo pagan y ya está.

Me incomodó su forma de decir «lo», pero no tenía sentido discutir las cosas con Julian, el banquero. Estaba demasiado seguro de sí mismo para detectar mis críticas. Registraba en su cabeza que yo había dicho algo y continuaba con una conversación paralela.

Cuando me pagaba la comida que pedíamos o me llevaba a un restaurante, y yo a cambio pasaba tiempo con él, en mi cabeza me preguntaba si se vería a sí mismo pagando por un «lo» menor. Me gustaba la idea: que mi compañía fuese digna de tener un precio; nadie más le otorgaba ese valor. Íbamos a salones de techos altos y Julian contaba que el Hang Seng había bajado, el Shenzhen Composite había subido y el Shanghai Composite se mantenía estable. Aquella no era como mis amistades normales, en las que siempre me preocupaba si le seguía cayendo bien a la otra persona. A Julian le gustaba oírse pensar en voz alta y yo llegué a la conclusión de que eso me beneficiaba, porque una nunca sabía cuándo necesitaría información, así que convenía acumular toda la posible.

Una noche, en su salón, con unas cuantas copas de vino encima, le dije que era atractivo. Se lo dije exactamente así, «me pareces atractivo», para no sonar a que hablaba en serio.

—Tú también eres bastante atractiva.

—Supongo que por eso nos lo pasamos bien.

—Podría ser.

Nos conocíamos desde hacía un par de meses y en total había pasado unas treinta horas en su compañía: poco más de un día. Y sin embargo me había habituado a pensar en él como en un hábito más.

«Gracias por tu tiempo», me decía cuando me marchaba. No estaba segura de si usaba esa expresión tan formal para garantizarse una cláusula de rescisión irónica como hacía yo, o si no era consciente de lo frío que sonaba. Luego añadía: «Ya te escribiré». Parecía pensar que solo el hombre podía iniciar una conversación. Aún peor: eso significaba que yo no podía escribirle primero. Si lo hacía, quedaría como que estaba desesperada por saber de él y ese era mi último recurso.

* * *

Les expliqué a mis niños de nueve años que había dos maneras de pronunciar la «th» en inglés: la que se usaba al principio de «think» y al final de «tooth» era la forma fricativa dental sorda, mientras que la que se utilizaba al principio de «that», «these» y «those» era la fricativa dental sonora. Como dublinesa, me había pasado veintidós años de mi vida sin pronunciar conscientemente ninguno de esos fonemas. Si durante ese tiempo alguien había pensado que mi inglés tenía fallos, nunca me lo había dicho. Y allí estaba, practicando las fricativas, sordas y sonoras, para que los niños pudieran imitarme.

Calvin Jong (un fanfarrón, pero un fanfarrón muy útil) se ofreció voluntario para intentarlo y no consiguió hacerlo.

«Mantened la lengua quieta y soltad aire», les decía. Eran las instrucciones que debía darles según la guía del profesor, aunque yo lo intentaba y me salía un sonido que nunca le había oído a ningún anglófono, ni a ningún otro vertebrado del reino animal, la verdad. Decidí pedirle después a Julian que me enseñase a hacerlo.

* * *

Antes de conocer a Julian, tampoco veía muy a menudo a mis compañeras de piso. Intercambiábamos poco más que hola y buenas noches.

Éramos tres. Yo había reservado la habitación por Airbnb, con la idea de quedarme hasta ahorrar para poder pagar la fianza de algo más permanente, pero las demás vivían allí en régimen de larga temporada. Emily era la mayor y la más proactiva. Tenía veintinueve años y llevaba unos pocos ya en Hong Kong. Freya era más o menos de mi edad y su *hobby* principal consistía en quejarse de su trabajo. Se ponía el pijama en cuanto entraba por la puerta y tenía cuatro pares de zapatillas de andar por casa: para el dormitorio, para el baño, para la cocina y otro más.

Emily siempre hacía algún comentario cuando me veía entrar. «¿Podrías cerrar la nevera con más cuidado?», fue la crítica de aquella noche.

«Lo siento.» No terminaba de entender cómo se podía hacer ruido cerrando una nevera, pero Emily tenía sensibilidad estética.

Pese a que me despertaban con sus preparativos matutinos (el ruido de las cucharillas en los cuencos, la queja de los grifos cuando se les pedía que echaran agua), no podía lavarme los dientes hasta que el baño estuviese libre. Me quedaba tumbada y me pasaba la lengua por el sarro acumulado de la noche. Nos entraban cucarachas a menudo. Habría jurado que las oía en la oscuridad, aunque sabía que eso era científicamente imposible. Salía a la calle sin comer con tal de no enfrentarme a una conversación con ellas en la cocina. Tampoco eran tan malas. Sencillamente, nunca sabía qué decirles.

La idea de quedarme a dormir con Julian me iba pareciendo cada vez más atractiva.

4

Septiembre

A los dos meses o así pasaba ya varias noches por semana en su piso. En la habitación sobrante (mía a esas alturas, suponía yo) había una manta de sarga suave con dibujo de pata de gallo e imágenes de Londres en las paredes. Un día, en el trabajo, imprimí una foto de Dublín y le pregunté si podía ponerla en el marco vacío del salón. «Si quieres...», me respondió. Me dijo que no le importaba que me quedara allí mientras él se iba de viaje por trabajo, pero no lo hice. La tentación de cotillear por su dormitorio habría sido incontenible. El interior de esa habitación seguía siendo un misterio para mí, aunque lo imaginaba todo doblado y guardado en sitios optimizados para un acceso rápido.

Una noche, mientras Julian estaba de viaje, llegué a mi Airbnb y Emily me tendió una emboscada antes de que alcanzara a meterme en mi cuarto.

—No te hemos visto mucho últimamente —me dijo.

—No podemos estar todas aquí a la vez. Es claustrofóbico.

—Pues vámonos por ahí a tomar algo.

—Vale. ¿Cuándo?

—¿Mañana?

Era cuando Julian volvía de Singapur.

—Lo siento. Mañana ceno con un amigo.

—¿El amigo con el que te quedas a dormir?

—No tengo muchos más amigos.

Emily se puso a limpiar los cojines feos del sofá, como esperando a que yo me diese cuenta de lo buena que era por no pedirme que la ayudase. Aquel tejido tenía querencia por acumular pelos, sobre todo los de Emily y Freya, porque yo nunca estaba allí, aunque ellas me culpaban igualmente.

—No puedes pasar de todo por un hombre —me dijo.

—No estoy con él.

—¿Y por qué estás siempre en su casa?

Había dejado de escucharla. Si quería quejarse de no verme nunca por allí, pero cada vez que aparecía me soltaba sus comentarios, normal que prefiriese a Julian.

* * *

A la noche siguiente le conté la discusión a Julian. Entre calada y calada a un cigarro, asentía y decía claro claro siempre que tocaba.

—¿Alguna vez has tenido compañeros de piso? —le pregunté.

—Sí, claro, en Oxford y al principio en Londres. La mayoría eran buena gente. Había uno que estaba pirado. Coincidió con mi último año en la universidad, mientras él preparaba la tesis sobre algún dilema existencial. Lo oías recorrer la casa entera por la noche murmurando cosas de su investigación. No comía nada sólido, lo echaba todo en una mierda de batidora enorme. Vivía de batidos. Creo que fue el primero de su promoción.

—Entonces ¿es mejor tener un piso para ti solo?

—Notablemente mejor.

Ninguno de los dos señalamos el hecho de que en realidad él ya no vivía solo. Nos terminamos el vino y Julian fue a por otra botella. Yo tenía un agujero en los vaqueros, en la entrepierna, cerca de la parte alta del muslo. Metí el dedo y quité la mano corriendo cuando lo oí volver.

—¿Cómo era tu última novia? —le pregunté.

Julian agitó la copa.

—Estaba bien. La mandaron de vuelta a Londres en el trabajo.

—¿Hace cuánto fue eso?

—Unos meses.

—¿Y te arrepientes de algo?

—No, de nada. No suelo mirar atrás.

Nos bebimos el vino y disfrutamos del silencio mutuo. Me fijé en que sus cojines eran bonitos: pana gruesa, satén dorado y marfil. Cogí uno y me abracé a él.

—Lo que dijiste un día de que querías ser profesor de historia... ¿Te estabas quedando conmigo o qué?

—Totalmente. Me parece muy bien que otra gente lo haga, pero por mi parte, prefiero agarrarme a la vaga perspectiva de tener una casa en propiedad.

La primera vez que nos vimos mencionó lo de dar clases de historia y no me quedó claro entonces si era una broma. Y seguía sin tenerlo claro.

—¿Y si pudieras tener una casa propia hicieras lo que hicieses? —le pregunté.

—Nunca me lo he planteado porque no es algo que vaya a ocurrirnos en la vida. Pero seguramente me habría quedado en Oxford y habría seguido estudiando historia. Aunque no tiene sentido darle vueltas a eso. Respeto mucho a la gente que persigue sus pasiones, pero prefiero la estabilidad.

Me pregunté si había pretendido que su comentario tuviese sentido.

—Podría ser peor: podrías no tener ni pasiones ni estabilidad.

—Para que me quede claro, Ava: ¿te refieres a que los dos estamos muertos por dentro, pero al menos yo puedo pagar un alquiler?

—Más bien.

—La verdad es que somos la nueva *belle époque.*

—Parásitos y banqueros capullos.

—No todos los banqueros son unos capullos.

—Ya, solo tú.

—Solo yo.

—Me gusta hablar contigo —le dije, y me di cuenta de que el comentario fue bastante estúpido—. Me hace sentir sólida, como si alguien pudiese confirmar que soy real.

—Bien.

—¿A ti te gusta tenerme por aquí?

—Sí. Eres buena compañía. Y si tengo este espacio y me gusta compartirlo contigo, no hay motivo para no hacerlo.

—Es decir, que te viene bien.

—No «me viene bien». Me haces quedar como una persona calculadora. Digo que tiene su lógica.

Julian parecía estar más cerca de mí en el sofá que unos momentos antes, pese a no haberse movido.

—Si dejara de tener lógica, ¿dejarías de pedirme que viniese?

—¿Que si haría algo que no tuviese lógica para mí?

Me eché hacia delante para rellenarme la copa. Nuestras piernas se tocaron.

—Deja, yo lo hago —me dijo, y se acercó más al servir el vino.

Esperé.

En su habitación se ocupó de todas las tareas (cerrar las persianas, atenuar la luz, quitar las cosas de encima de la cama) mientras yo me quitaba el collar y lo dejaba lentamente en la mesita de noche para que el metal no sonase contra la madera. Consciente de que me estaba observando, intenté que no se notase mi curiosidad por sus posesiones.

Mi pelo se interpuso. Se le metieron unos cabellos en la boca y luego alguno se me enganchó a mí en la cremallera de la espalda.

—Espero que no acabemos en urgencias —dijo.

—Vaya, pues yo confío en que sí.

—Qué cosas más raras dices, joder.

5

Octubre

No podía soportar vivir para siempre en un Airbnb, pero todavía no había ahorrado lo suficiente para una fianza de dos meses. A principios de octubre, me llevé mis cosas al piso de Julian. Le expliqué que no tenía tiempo para ponerme a mirar sitios. Me dijo que podía quedarme hasta que lo tuviese.

—Usa la habitación de invitados. Recibo llamadas por las noches.

El sexo continuó.

A mediados de octubre llegó el tifón Haima, el último de la temporada. Tuvimos que estar encerrados hasta que el observatorio de Hong Kong dio vía libre. Julian llevaba un «jersey informal» inevitablemente entrecomillado. Llamaba informales a muchas cosas y las mantenía siempre entre comillas.

Le pregunté por qué habíamos tardado tanto en liarnos.

—No quería imponer nada.

La respuesta que yo esperaba era que lo ponía nervioso. No me había planteado que Julian tuviese el poder de «imponer» nada y me sorprendió que lo creyera así.

Sus sábanas eran muy blancas. Una vez dejé un manchón que Julian calificó como mancha de vino, bien por usar un eufemismo o porque le resultaba más fácil visualizarme sorbiendo un merlot que menstruando. Su interés por hacer que me corriese era siniestro al principio, y eso me abrió los ojos a mi propia asunción de que si Julian quería algo probablemente ese algo me hiciese daño. Le gustaba que le mordiese, aunque tenía que elegir bien el momento y a veces pensaba: hay muchas cosas en las que nunca me haré experta y he elegido esta (un pensamiento que no apuntaba a que mi monólogo interior fuese a querer elegirlo nadie de tener esa posibilidad).

Investigué la ciencia del mordisco, supe que le iba a seguir doliendo después y entendí perfectamente mis sensaciones ante esa información.

Julian disfrutaba cuando me burlaba de los hombres que buscaban halagos sexuales. Eso confirmaba su opinión de que él no era uno de ellos y al mismo tiempo garantizaba que de mi boca saliesen las frases favoritas de esos hombres. Si me ponía quisquillosa con el menú, me decía que era porque no tenía apetito. «No es verdad», le respondía con un gesto burlón. Yo tenía la sensación de haber dado con alguien demasiado aristocrático para el rollo de qué-bien-se-te-da-follar, él la tenía de conocer a fondo mi desprecio por los hombres susceptibles al rollo de qué-bien-se-te-da-follar, y empíricamente yo me sentaba al otro lado de la mesa, le subía el pie por la pierna y le decía que se le daba bien follar. Luego le pedía agua y le miraba las manos mientras me la servía.

A mí no se me daban bien muchas cosas, pero los hombres sí, y Julian era el hombre más rico que se me había dado bien en la vida.

* * *

A menudo, Joan me hacía quedarme al terminar la jornada para «ayudarla» a escribir listas de vocabulario. En inglés hongkonés, «ayudar a alguien a hacer algo» podía significar que lo hicieras tú todo y la otra persona no contribuyese en nada. Joan sentía querencia por este uso.

Esa semana, la lista para los de doce años incluía la palabra «mind».[1] El diccionario daba cuatro definiciones: ser responsable u ocuparse de algo; ofenderse o molestarse por algo; el sitio donde se ubica la facultad de razonar (Iris Huang lo buscó entre las sillas); un intelectual importante (Iris Huang fijó la mirada en una silla).

El diccionario no preparaba a esos niños para Dublín. Allí, que te dijeran «Mind yourself» cuando salías de casa era distinto a que te lo dijesen cuando usabas un cuchillo de sierra. «Don't mind him» significaba que ese «him» te había estado engañando, y «Mind him» quería decir o que cuidaras a ese «him» o que te cuidaras tú de él. Y todo lo que te ocupaba y te preocupaba, lo que cuidabas y de lo que te tenías que cuidar, se ubicaba en un mismo sitio: la mente (con suerte, la tuya propia).

En Hong Kong yo siempre tenía la mente ocupada con cosas, aunque no siempre sabía interpretar en qué sentido.

(1) Este término en inglés equivale, entre otras cosas, a «mente» como sustantivo (en su sentido más amplio) y a «importar», «tener cuidado/cuidar», «hacer caso», como verbo. (*Todas las notas del libro son de la traductora, que ha procurado que todo el mundo tenga la posibilidad de echar una partida al juego del idioma con Naoise Dolan.*)

* * *

A Julian le gustaba estar ocupado. A veces le decía que me parecía que estaba demasiado ocupado. Quería estar más ocupada que él al menos un día. Que me sugiriese un plan y no estuviese libre para hacerlo.

—No estoy tan ocupado. ¿Por qué quieres estar ocupada tú?

—Es un símbolo de estatus, en plan: «Estoy solicitadísima en el sector de la economía especializada».

—Pero eso no es cosa de ricos. Es cosa de gente como yo.

—Pero tú eres rico.

—No.

—Tienes que dejar de fingir que no sabes que eres rico. Resulta impropio.

Nuestra disparidad económica era demasiado amplia para incomodarme. La diferencia estaba a un nivel tan estrafalario que solo podía hacerme gracia. Creía además que eso me absolvía de toda necesidad de sondear las implicaciones de género que tuviese el hecho de dejar que él lo pagase todo, y menos mal, porque no podía permitirme otra cosa. Si algo costaba el 1 % de sus ingresos y el 10 % de los míos, ¿por qué no iba a ocuparse él?

Busqué en Google la horquilla salarial de los vicepresidentes segundos de su banco: entre 137.000 y 217.000 euros al año, bonificaciones y complemento para vivienda aparte. Traté de animarme con eso. Que Julian pudiese tener tantos ceros y no considerarse rico demostraba desde luego que el lucro material no me haría feliz, ergo no necesitaba encontrar un trabajo de verdad. Aunque si el dinero no iba a mejorar mi vida, no se me ocurría nada con más probabilidades de hacerlo.

Vivir en su piso suponía seguramente romper con el concepto capitalista de que solo merecía algo si mi situación económica me permitía pagarlo. O a lo mejor me convertía en una mala feminista. Lo averiguaría cuando la experiencia hubiese pasado. No tenía mucho sentido darle vueltas hasta entonces. ¿Y si decidía que no me gustaba vivir con él? Tendría que hacer otra cosa y a lo mejor ninguna de las alternativas me gustaba más.

* * *

Mi madre siempre decía: «Eso es mucho». Si subías la calefacción por encima de diecisiete: eso es mucho, Ava. Comprando en la tienda, si hacías amago de echar una segunda cestita de cerezas: eso es mucho. No le había contado a mi madre que estaba viviendo con Julian. Le parecería que ese hombre era más que mucho, es decir, demasiado.

La llamé un fin de semana que Julian estaba de viaje.

—¿Alguna novedad? —me preguntó, aclarando el tono acusatorio de que solo la llamara cuando había algo que contar.

El don de mi madre era que cuando evitaba insinuar algo la oías perfectamente hacerlo.

—No mucha cosa.

—¿Y ella qué tal?

Ella, si no se especificaba lo contrario, era Joan.

—Muy bien.

—¿Y él?

—Muy bien.

Benny. La primera vez que le hablé a mi madre de mis jefes, me dijo: «Ellos se encargarán de que no hagas chaladuras». En las llamadas siguientes, siempre intentaba evaluar cómo lo estaban haciendo y si necesitaban ayuda.

—¿Algún amigo? —dijo.

—No, por desgracia.

Intenté que sonara a que estaba buscando alguno. Mi madre tenía la vaga impresión de que las muchachas que buscaban novio iban a discotecas, algo que le gustaba imaginarme haciendo a mí, una muchacha joven. Podría haberle contado que no lo hacía porque mi novio tenía veintiocho años, pero él no era mi novio y yo siempre había odiado ir de discotecas.

—Qué trabajito nos cuesta mantener el contacto contigo —dijo mi madre.

Ese comentario apenas guardaba especial relación con lo que yo acababa de decir, pero le pareció instructivo soltarlo ahí.

—¿Cómo está Tom? —le pregunté.

—Muy bien. ¿Te he contado que quiere independizarse?

—Sí.

—Es muy buen niño. Muy trabajador. A la mayoría con su edad hay que obligarlos a irse de casa.

Mi madre no quería que le dijese que sí, que qué bien que su hijo menor ya no la necesitaba. Por otro lado, tampoco quería que corroborase que debía sentirse caduca porque su hijo iba a marcharse antes de acabar la universidad. Mi madre manejaba unas arenas movedizas conversacionales en las que el movimiento solo conseguía hundirte más.

(Le conté todo eso a Julian y me respondió que nunca se habría imaginado que yo viniese de un linaje de mujeres enigmáticas. Le dije: «Mujeres enigmáticas ¿por qué? ¿Por qué crees que soy un enigma en femenino? A lo mejor los hombres de mi familia también son enigmáticos». Me contestó: «Entonces admites que eres enigmática». Y le dije: «Puede ser, o a lo mejor solo estaba siendo enigmática».)

—George está bien —añadió mi madre. Su comprensión auditiva remitía a un optimismo materno: daba por sentado que, como le había preguntado por Tom, quería recibir noticias de mis dos hermanos—. Está contento con la bonificación, ¿te lo ha contado?

—No, no me ha dicho nada.

Sí, sí me lo había dicho. George era asesor de reestructuración empresarial. Eso básicamente consistía en ayudar a las empresas a despedir a gente sin tener que pagar indemnizaciones. También hacía una importante labor secundaria buscando maneras de evitar conceder permisos de maternidad a las mujeres.

—Y creen que a alguien de su equipo lo van a ascender a asesor superior —siguió diciendo mi madre—. George trabaja mucho, y Tom también. Son un par de currantes natos.

Lo de «natos» me remitió a «orfelinatos» y me hizo pensar en lo bien que habría quedado George dirigiendo uno en alguna novela victoriana. Pensando en clave universitaria, sabía que mucha más gente perdía el trabajo cuando bancos como el de Julian jugaban a la ruleta del alto riesgo, pero mi clave universitaria venía con un mando, así que le subía la intensidad con la gente a la que odiaba y se la bajaba con la gente que me caía bien.

—¿Y yo? ¿También soy una curranta nata?

Pretendía ser graciosa, pero fue un error. No se podía bromear con mi madre en una llamada de larga distancia.

—Estás falta de sueño —me dijo.

* * *

Me gustaba imaginar que Julian tenía esposa en Inglaterra. Soy una Jezabel, pensaba. Ese botellero se lo regalaron en la boda y yo lo estoy usando para poner botellas de Jack Daniel's y no de vino porque tengo un gusto pésimo para todo. Es católica (en el sentido recusante en el que lo era la aristocracia inglesa, no en el sentido de la pobreza irlandesa) y nunca va a concederle el divorcio, y yo no puedo usurpar de ninguna manera su sitio como la mujer que se enamoró de él antes de que la vida y la banca de inversiones lo asfixiaran, creativamente.

Le pregunté por el botellero y me dijo que ya estaba en el piso cuando él llegó.

Deseaba que Julian estuviese casado. Eso me habría convertido en una persona poderosa con capacidad para arruinarle la vida. Además, habría supuesto un motivo aceptable para que Julian no quisiera que nos acercásemos demasiado. La versión más plausible era que estaba soltero y que, aunque de vez en cuando yo consiguiera emular la ingeniería aeroespacial necesaria para que le apeteciese follarme, no quería ser mi novio. Eso dañaba mi ego. Mi pretensión era importarles a otras personas más de lo que ellas me importaban a mí.

Tal y como en realidad estaban las cosas, yo hacía tareas nimias a cambio de tener acceso a él. Me pidió en broma que le organizase la estantería de los libros y, cuando lo hice de verdad, me dijo que era una persona brillante. Por el estado de los lomos llegué a la conclusión de que le gustaba Tennyson, y Nabokov también, aunque a lo mejor eran ejemplares de segunda mano o libros que alguna otra persona se había llevado prestados. Un fin de semana cometí el error de advertirle de que debía ir haciendo las maletas para Seúl; a partir de entonces, pretendía que se lo recordase siempre, cada vez que tenía un viaje de negocios.

—Eres muy vago —le dije—. Es más fácil hacerlo yo que pedirte a ti que lo hagas.

—Pues por mí no te cortes.

Pese a que no era esa la respuesta que intentaba sonsacarle, pensé que podría ser divertido, como vestir a una Barbie para una profesión inverosímil. Toda la ropa que tenía era igual, y en una bolsa de viaje dejaba siempre guardados un cepillo de dientes y cosas para afeitarse. No le metí condones, no porque me importara algo que se viese con otras personas, sino por temor a parecer pasivo-agresiva.

Me intrigaba saber cuándo hablaba con sus padres. Julian aludía a conversaciones que mantenía con su madre, pero yo nunca los había oído hablar. Al final, le pregunté.

—Tenemos nuestra rutina. Cada pocos días, mi madre me llama en la pausa del almuerzo.

—¿Qué hora es esa en Inglaterra?

—Las seis de la mañana, pero está despierta, ocupándose del jardín.

—¿Y tu padre?

—¿No te lo he dicho? Está aquí.

—¿En Hong Kong?

—Es profesor de historia en la universidad. Se divorciaron cuando yo tenía diez años.

Cuatro meses hacía que nos conocíamos y el tema no había salido hasta entonces. Me pregunté qué otra información se habría estado guardando y (Dios ayuda a quien persevera) si alguna no sería de corte conyugal.

—¿Con qué frecuencia ves a tu padre? —le pregunté.

—Unas cuantas veces al año. Cuando podemos.

—¿Y dónde vive?

—A tres paradas de metro de aquí.

—Y lo ves unas cuantas veces al año.

—Sí, cuando podemos.

Los ingleses eran gente rara.

Probablemente para reírse de mí de algún modo oscuro, Julian se acordaba de los nombres de mis padres y los usaba a menudo. «¿Has hablado con Peggy últimamente?», me decía, o «¿Cómo está Joe?». Los suyos se llamaban Miles y Florence. La comparación de nombres me parecía muy reveladora, pero a él no. Para los británicos, la clase era como la humildad: solo la tenías en la medida en que la negaras.

A la mañana siguiente, bajando por las escaleras mecánicas, me imaginé la casa de su infancia en Cambridgeshire. Alta, pensé, y vacía: las casas eran como sus dueños. (Me pareció una idea cruel, y luego decidí que Julian se habría reído. Eso me recordó que nada de lo que le dijese podría hacerle daño.) Pese a que yo no era una persona de las que Julian llevaría a conocer a Florence, me imaginé cenando en su casa, las dos solas. Yo pronunciaría mal «gnocchi» y ella se pasaría toda la noche evitando decir esa palabra para no avergonzarme. Le buscaría entonces la mirada y pensaría: podría despojarte de todas las palabras que conoces. Me las iría tomando como trufas y tú me dirías «Sírvete lo que quieras», y en ese momento te quitaría esas también y te quedarías sin habla.

Aquella noche, en el trayecto de vuelta a Mid-Levels, decidí que en realidad sería muy halagador que Julian estuviese casado y no llevara el anillo puesto. Si lo hubiese llevado, probablemente me lo habría tomado como una insinuación de que me consideraba ambiciosa.

* * *

Siempre que Julian estaba de viaje, me iba de copas con los demás profesores. La primera vez que me invitaron, Ollie de Melbourne me preguntó: «¿TST o LKF?», y seguidamente lo aclaró (Tsim Sha Tsui, Lan Kwai Fong, los barrios para salir) como si, junto con el plan de estudios de preescolar, fuese lo más obvio que explicaba en todo el día. Los bares se dividían en tugurios sin licencia, oscuros y espaciosos pero desgarbados, y azoteas con luces que brillaban en la distancia. Durante esas salidas me di cuenta de que hasta entonces, desgraciadamente, había invertido mal mis energías en intentar cultivar una personalidad. Si no tenías personalidad propia, te quedaba más espacio para la de los demás.

—¿Sales con alguien? —me dijo Briony de Leeds.

—Puede ser —respondí con cuatro cócteles encima.

—Bueno, lo preguntaré de otra manera, ¿buscas a alguien?

—Puede ser.

Madison de Texas me arrastró entonces a una conversación con dos hombres. Su pretendiente favorito le dijo que tenía unas tetas en las que se haría una raya. Por norma general, en TST y LKF había tres tipos de hombres: informáticos, empresarios y colegas del rugby. Los dos de Madison se colaron directamente en el grupo de los informáticos al decir que se sentían superiores a los hombres que llevaban traje. A mi parecer, esa excelencia la podías alcanzar de un modo más eficaz no teniendo ningún trabajo. El segundón de Madison me tocó el brazo y yo me retiré, y me preguntó si me gustaban las mujeres. Me entraron ganas de decirle: mi principal preferencia sexual es que tú no me gustas.

Fui al baño y llamé a Julian.

—¿Tú te metes coca? —le dije.

—¿Qué?

—Dicen que todos los banqueros se meten coca.

* * *

Había leído que el crítico de arte John Ruskin sintió repugnancia ante un elemento no especificado del cuerpo de su esposa en la noche de bodas, y eso me hizo darme cuenta de que siempre había tenido el mismo miedo al pensar en que alguien me viese desnuda. Julian me decía cosas agradables sobre mi aspecto y lo único que lograba responderle era «Gracias», con la esperanza de resultar cordial sin insinuar que estaba de acuerdo. Yo le tocaba los brazos y pensaba a) por qué era tan fría y desagradecida y b) si alguien se enamoraría de mí alguna vez; sabía que las respuestas correspondientes eran a) había decidido ser así y b) no; y al final decía: «Me gustan tus brazos».

Podías pasar perfectamente sin hombres, y a mí esa postura me parecía de lo más elegante, pero había tanta gente que pensaba lo contrario que yo creía que era mejor estar con alguno. Tenías que fingir que te sentías triste si llevabas soltera demasiado tiempo. Era algo que odiaba hacer, porque había otras cosas por las que sí estaba triste de verdad.

Igual que la idea de no estar con hombres, la de no tener sexo me parecía la opción decorosa, aunque si ibas a tenerlo, debías hacerlo con alguien que mantuviese un cierto grado de objetividad. Y yo necesitaba tenerlo. Si no, nunca dejaría de pensar. Los dos preferíamos que yo me pusiera encima, y me preguntaba si eso diría algo sobre nuestra dinámica. En mi opinión, todas las tendencias copulativas desvelaban algo sobre tu yo más profundo, y si no lo hacían era porque tenías una mente cero apasionante.

Julian no era cariñoso en la cama, pero me dejaba ponerle los brazos sobre el pecho.

—¿Y si fuese de tu edad? —le dije. Me preguntó a qué me refería—. ¿Yo te interesaría si fuese la misma persona pero con tu edad?

—¿Cuántos años te crees que tengo?

—No lo sé —contesté, no más enterada de las estadísticas sobre la edad media del primer matrimonio de lo que podría estarlo cualquier persona—. ¿Treinta?

—Veintiocho. Creo que podría soportar que tú también tuvieses veintiocho.

Me sentí decepcionada y me percaté de que mi pretensión había sido que a Julian le fuese el rollo de que yo tuviera veintidós años. Era lo único que yo tenía y él no.

Luego busqué en internet lo que cualquiera habría buscado en internet. Vi que eran veintinueve años en el Reino Unido pero treinta y un años en Hong Kong, caí en que ninguna estadística aclaraba cuándo se prometían los hombres que estaban en la situación socioeconómica específica de Julian y tenían su conformación emocional concreta (ni tampoco si lo hacían) y, en relación con esto último, supuse que Julian estaba soltero y que no me quería como novia. No lloré más de lo que cualquiera habría llorado por ello.

6

Noviembre

En noviembre quedamos para un *brunch* en Aberdeen Street con Ralph, pronunciado «Reif» (a la manera inglesa tradicional), que había estudiado en el Balliol College con Julian, trabajaba en su mismo banco y tenía una supuesta flotilla de bisabuelos procedentes de la Isla Esmeralda. (Dos, amplió luego Ralph. Uno por cada lado, lo que significaba que Éire le debía, moralmente, un abuelo entero.) Había votado a favor del Brexit para tener fronteras más cerradas y había solicitado el pasaporte irlandés para evitar que lo parasen en esas mismas fronteras. Más avanzada la conversación, se autocalificó como un «alumno pura raza de Oxford» que había estado «metido en el politiqueo de la uni». Julian dijo: «Ralph, que tienes treinta años».

La novia de Ralph, Victoria, era buena luciendo la ropa. Era tan guapa que no entendí por qué hablaba conmigo. A veces sus ojos decían: yo tampoco lo entiendo. Hablamos sin parar, perplejas las dos ante el hecho de que estuviese pasando algo así cuando ninguna de las dos pensaba que debiera estar pasando. Ralph nos observaba y parecía pensar: a las mujeres se les da bien hablar.

—Eres de Irlanda —dijo Victoria, como informándome al respecto—. Yo he estado en Dublín.

—¿Viste el *Libro de Kells*? —le pregunté, con la esperanza de que dijese que no, porque yo no lo había visto.

Por supuesto que sí. No solo lo había visto sino que además había escrito un extenso trabajo sobre él para su licenciatura en la Universidad de St. Andrews. Julian puso en duda la historiografía de Victoria y ella asintió en gesto colaborativo como si estuviesen levantando juntos un mueble desgarbado desde lados opuestos. Cada dos por tres, Victoria tocaba su bolso trapezoidal de Celine. Yo pensaba: sigue ahí, Victoria. No va a irse a ninguna parte. La vaca está muerta.

A la semana siguiente, nos tomamos seis botellas de rosado con ellos en un tugurio estilo años veinte. Victoria me contó en el baño que estaba engañando a Ralph con un hombre casado de un fondo buitre. Me dijo que lo que nunca te cuenta nadie es que tener un amante conlleva unos problemas administrativos nada despreciables. Luego me preguntó si no me parecía raro que Julian asegurase que no estábamos saliendo cuando claramente estábamos saliendo. Le dije que no. «Es raro», respondió en tono autoritario. Y añadió: «Pero ¿follas?», lo que a su modo me pareció una recopilación de palabras llamativa. Lo soltó con el mismo tono que quien pregunta «Pero ¿vapeas?», otra expresión que yo no usaría jamás. Le respondí que hacía muchas cosas. «Seguro que sí», contestó. Y después: «¿Esas pestañas son naturales?».

* * *

El invierno hongkonés había llegado para quedarse. Yo lo llamaba así, el invierno hongkonés, porque habría tenido que renunciar a mi pasaporte irlandés si hubiese empezado a considerar veinte grados de temperatura como un invierno real. A decir verdad, llevaba casi cinco meses fuera y sí que me parecía frío.

A esas alturas, mi cuenta bancaria crecía, sobre todo porque no pagaba nada de alquiler. Raras veces gastaba dinero. Prefería verlo como un tiempo del que podría disponer más adelante.

En la calle en la que trabajaba me cruzaba con turistas que comían de puestos callejeros, que entraban y salían a paso lento de edificios con andamios en los que regateaban en tiendas de teléfonos baratos. Los británicos llevaban pantalones cortos y los lugareños, con abrigos de lana, fingían no verlos. Había un pequeño paréntesis estacional durante el cual podías vestirte de invierno. Nadie tenía derecho a estropear eso.

Julian me dijo que en diciembre se iba a Tokio. Me pregunté por qué me lo contaba. Seguidamente aclaró que no se trataba de uno de sus viajes de negocios de fin de semana, sino de tres semanas. Asentí y le hice preguntas inteligentes mientras separaba la basura. Habíamos comido *dim sum*. Me ocupé de enjuagar la grasa de los envases.

—¿Y qué tienes que hacer allí? —le dije.

—Cosas de bancos. Dinero.

—Siempre que te digo que trabajas con dinero te pones en plan: Ava, no soy un banquero minorista, soy un banquero de inversiones.

—En el fondo todo es dinero. El grado de abstracción es

lo que me separa del señor amable con el que hablas para conseguir una tarjeta de crédito. Eso, y el nivel de riesgo.

—Por favor, cuéntame más sobre cuánto te gustan los picos negros y cuánto odias los picos rojos.

—Mira, si mi trabajo pudiera explicarse con una frase no estaría tan bien pagado.

—Neurocirugía.

—¿Qué?

—Los neurocirujanos pueden explicar lo que hacen con una frase. Arreglan cerebros.

—No sé cómo me las voy a apañar en Tokio sin estos comentarios. Deberías llevar un diario.

Esa conversación había instruido a Julian en varios aspectos. Yo le había dejado claro que a) su trabajo era prestigioso y estaba bien remunerado, b) el mío no y c) para romper la monotonía de su estatus, le gustaban las mujeres impertinentes, mujeres que a otros hombres les resultaban irritables y que a su vez consideraban débiles a esos mismos hombres, pero que en el salón de Julian se sentían casi como en casa; o al menos una de ellas se sentía así, a modo de arquetipo y no como alguien que a él le importase especialmente, porque la arrogancia de ella era algo que ambos tenían en común.

La mamada también resultó edificante.

Hombres. Podía apañármelas.

Como siempre, le hice el equipaje y eché unas camisetas por si se veía en la necesidad de alardear de su sentido de la moda estando fuera de servicio. Le enseñé la ropa enrollada como el *sushi* y me dijo que me había ganado como mínimo un iPhone nuevo. «Eso seguro. Voy a volver con una maleta llena de bienes de Veblen», dijo. Le pedí que me lo explicase en un lenguaje más llano y respondió: artículos de lujo. Se diferenciaban de los bienes normales en que la demanda subía cuando lo hacía el precio.

Mientras Julian hablaba, yo atendía en parte a lo que me decía y en parte a diversas preguntas como, por ejemplo, por qué se la chupaba cuando él hacía cosas como decir que se largaba tres semanas demostrando con ello que no me necesitaba; si le preparaba el equipaje concretamente después de chupársela y antes de que me comprase cosas para no sentir que me compraba cosas directamente por habérsela chupado; si, por el contrario, hacía cosas como prepararle el equipaje porque me preocupaba que no me fuese a comprar cosas solo por chupársela, en cuyo caso me vería obligada a afrontar lo poco que significaba chupársela en virtud de la única unidad de medida que usaba él para mostrar su afecto; si esto último resultaba especialmente desolador porque quería decir que hacerle el equipaje tenía más valor que chupársela, y para ser sincera yo no era tan buena preparando equipajes; y cómo mierdas salía yo de todo eso convencida de ser la que tenía el poder.

—Ah, entonces los iPhone son bienes de Veblen y el pan no.

—Exacto. Bueno, el pan es un bien de Giffen. ¿Qué vas a hacer mientras yo no esté? Puedo buscarte algún museo.

—No soy ninguna cría. Ya me encargo yo.

—Solo te ofrecía ayuda.

—¿Puedo ir contigo? —dije, irónicamente.

—Estoy ocupado —respondió Julian, irónicamente—. No sería justo para ti.

Nunca es justo, pensé, sinceramente. Si fuese justo no te gastarías tanto dinero en mí. La idea me surgió completamente formada ya en palabras antes de recordar que debía parecerme alarmante.

—Sé que no quieres que me vaya —añadió.

Cuando dijo eso, me entraron ganas de acercarme al botellero potencialmente matrimonial, elegir el cabernet sauvignon más afrutado, abrirlo con mucho tiento y vaciárselo encima del MacBook. No lo hice. Se compraría un portátil nuevo al día siguiente, estaría encantado con la *touch bar* mejorada y negaría en toda mi cara que yo hubiese hecho lo del vino hasta que llegase un momento en alguna discusión futura en el que de repente necesitara pruebas de que yo estaba loca. Nada de eso serviría para abordar la cuestión de por qué su comentario me había molestado.

—Ava, ¿estás bien?

—Perfectamente.

Lo despreciaba. No querer que se fuese era una emoción generada por mí, no por él. Julian me había visto tener un sentimiento y ser incapaz de ahogarlo y había dicho en alto que había reparado en ello, y eso lo beneficiaba a él, no a mí. Era una demostración de cómo los niños de colegios privados se aprovechaban del trabajo robado. Julian pronunciaba correctamente sus fricativas desfalcantes y se tomaba su tiempo para hacerlo, porque podía, porque él y toda su estirpe vampírica vivirían hasta la eternidad absorbiendo vidas en sus fábricas y, en última instancia, en cualquier lugar con (¿en pocas palabras?) cierto grado de abstracción. Mis ganas de llorar eran principalmente un reflejo de mi conciencia social.

Abrió la ventana y se encendió un cigarro.

—Vamos a cambiar de tema —dije.

Estuvo de acuerdo.

—¿Tokio? —propuso.

—Genial. ¿Sabes japonés?

—Ni una palabra.

—*Konnichiwa.*

—Genial, ahora ya tengo una.

—En realidad son dos. En japonés. *Konnichi* y luego *wa*.

—Ava, ¿estás bien?

—Perfectamente.

—Oye, en serio, te aprecio mucho.

—A ti también —le dije.

Y no tuvo ningún sentido («a ti también» desde luego significaba que yo pensaba que también se apreciaba mucho a sí mismo), pero a él le dio igual.

Aquella noche pasé más tiempo del usual fingiendo no querer estar con él de formas que dejaban clarísimo que sí quería. No resultó tan divertido como normalmente me lo parecía, ni tan satisfactorio como sabía que sería deslizar un machete entre una hilera de camisas suyas, pero disfruté de la limpieza del ejercicio. Había algo shakespeariano en el hecho de que un hombre arrogante te lo comiese: los poderosos han caído.

Cuando terminamos me puse uno de sus famosos jerséis informales y Julian me dijo que le gustaba cómo me sobresalían las orejas. Me hacía parecer atenta, según él. Le pregunté si se refería a que tenía pinta de oír bien y me dijo que no, que eso exactamente no, pero que me hacía parecer alerta.

—En época victoriana las mujeres se cortaban un mechón de pelo y se lo daban a los hombres de recuerdo —dije.

—No quiero tu pelo.

—Solo estaba describiendo una práctica.

—Vale. Buena descripción. Pero no quiero tu pelo.

—¿Quieres alguna otra cosa mía?

—Ya tengo tus mensajes. Probablemente digan más de ti que tu pelo. Y quiero que me devuelvas ese jersey.

—Te prefiero de traje.

Julian no empatizaba lo suficiente con mis ideas políticas para entender lo vergonzosa o personal que era aquella confesión.

7

Diciembre

Cuando Julian y yo nos despedimos en el aeropuerto, empecé a alejarme la primera. Miré arriba, a las vigas de acero, busqué con la mano mi maleta y entonces me acordé de que no tenía maleta porque no era yo quien se iba.

En los dos meses que llevaba en el piso, mi impresión era que Julian apenas estaba por allí. Resultó que sí andaba bastante por la casa y que teníamos sexo a menudo, y no me gustó la desaparición repentina de esas dos situaciones. No quería comer. Me parecía innecesario hacerlo sola. En la soledad del apartamento, le mandaba mensajes, pero me contestaba horas después o no lo hacía nunca. Opté por llamarlo en vez de escribirle. Creí que en la voz me notaría que estaba en su cama con su camisa puesta.

Cuando iba a terminar su primera semana fuera, le pregunté en una llamada por Japón. Me dijo que era más limpio que Hong Kong y añadió que suponía que estaría leyendo más en su ausencia.

—En otras palabras, crees que no tengo más amigos aparte de ti —le contesté.

—No los necesitas.

—Eso suena a algo que diría un novio posesivo y despreciable.

—Menos mal que no soy nada de eso, ¿no?

Deseé haberme guardado el comentario para una conversación cara a cara. Por teléfono, Julian sonaba débil y estudiadamente imparcial, como un médico que te da un pronóstico negativo casi al acabar un turno en el que ya hubiese dado un montón de malas noticias.

—Repites eso mucho —le dije—. «Por cierto, sigo sin ser tu novio», como si pensaras que necesito que me lo recuerdes. No soy tonta.

La sentencia de que no era tonta, que en mi cabeza formulé como una información neutral, quedó más brusca de lo esperado.

—Soy consciente de que no eres tonta.

—Entonces ¿por qué no paras de decirlo? Me da la impresión de que ocultas algo.

En realidad no era así. Julian me había dejado claro que le gustaba tenerme cerca pero que no quería nada serio. Su sinceridad hería mi orgullo, así que me decía para mí que era un mentiroso. Y ni siquiera podía sentir una pena real y ostentosa por mí misma, porque no era reciprocidad lo que ansiaba. Mi deseo era que los sentimientos de Julian fuesen más fuertes que los míos. Nadie empatizaría con eso. Yo quería un desequilibrio de poder, y que ese desequilibrio me beneficiase a mí.

—No sé por qué crees que miento en todo.

—Vale, no eres un mentiroso. ¿Contento?

—Eufórico. ¿Podrías validármelo en LinkedIn?

—Me voy a abrir un perfil solo para agregarte.

—Entiendo que vivir en mi piso pueda parecer ilícito hasta que hayamos dado ese paso.

Salí de la cama y me quedé en la puerta del balcón.

—¿Por qué me compras cosas?

—¿Te molesta?

—No. Pero siento curiosidad.

—Bueno... Nada de lo que te compro es muy caro.

Decidí que había dicho eso adrede. Era menos ofensivo que pensar que había sido sin querer.

—Si tan gorrona soy, ya sabes que puedes deshacerte de mí.

—¿Podrías rebobinar al punto en el que te he llamado gorrona? Creo que me lo he perdido.

—Es la impresión que me da.

—No se me puede responsabilizar de todas las ideas conspiranoicas que te inventas.

—Ah, que ahora soy una loca irracional.

—Si prestaras más atención, Ava, te darías cuenta de que creo que estás sumamente cuerda. Doy por hecho que lo que estás diciendo tiene algún propósito. Estoy tratando de desentrañar cuál podría ser.

—Una no puede estar «sumamente» cuerda. O estás cuerda o no lo estás. Igual que no se puede estar «sumamente» autorizado para trabajar en Hong Kong.

—Siendo como soy un banquero blanco y británico, creo que es justo decir que estoy sumamente autorizado para trabajar en Hong Kong.

Me eché a reír. Siempre me sentía aliviada cuando Julian decía cosas como esas de sí mismo, me lo tomaba en plan:

bueno, eso será que no le molesta cuando lo hago yo. La gente solía decir cosas de sí misma que no le gustaba que dijesen los demás, aunque yo no siempre me veía propensa a que se me diesen bien los hombres.

—Cómo estamos...

—Yo desde luego no estoy acostumbrado a tratar con gente como tú —me dijo.

A veces Julian se me daba bien, a veces a él se le daba bien yo, a veces a los dos se nos daba bien el otro, y a veces a ninguno se nos daba bien nada. Todo era tan confuso que me entraron ganas de que uno de los dos tuviese todo el poder, y ni siquiera me importaba ya que fuese él, aunque claramente eso era mentira, porque en ese caso lo estaría dejando ganar, momento en el cual Julian perdería el interés y me sustituiría por una modelo porque son más delgadas o por un perro salchicha porque sueltan menos pelo.

—¿Eres de perros?

—¿Qué? No.

—Yo tampoco. Me gustan los desafíos algo más grandes.

Nos reímos de los hombres que consideraban gratificantes esas afirmaciones.

—Oye, debería colgar ya. Mañana tengo una ristra de reuniones. Pero ha estado bien charlar contigo. Hablamos pronto, niña.

Eso me gustó. Niña. Me hizo sentir incluida.

* * *

Fui con los otros profesores a un bar de TST. Empezamos a pedir copas y a recordarles a unos y otros de formas diversas que estábamos saliendo con alguien, o anunciarles que no. Scott de Arkansas hizo las dos cosas. Le pregunté por qué decía estar soltero cuando había hablado de su novia tres segundos antes, y me contestó que se la había inventado porque yo lo intimidaba. Me pregunté si Scott sería mejor o peor persona sin narcóticos.

En la discoteca de esa misma calle, Madison de Texas se puso a bailar conmigo. No nos movíamos mucho pero me tocaba la cadera. Me acordé de la universidad, de una vez que en el Workmans una chavala se había puesto hasta arriba y nos morreamos, y un tipo con un polo preguntó si podía mirar. Si ya estás mirando, pensé. Los hombres en raras ocasiones eran mirones de verdad. Solo querían que fueras consciente de su presencia.

Madison dijo que me tenía envidia porque yo me hacía la hermética sin ningún esfuerzo. Eso a los hombres les gustaba, me dijo. Madison siempre pensaba que me excitaría saber lo que les gustaba a los hombres.

Mientras ella me acariciaba el brazo, Scott de Arkansas se acercó y dijo que su compañera de piso se había ido. Madison respondió: «Qué interesante, Ava, ¿verdad?». No había límite para lo que Madison pensaba que podría interesarme. Le pregunté a Scott si se refería a que se había ido su novia y si tenían un acuerdo monógamo, y Madison me miró como si fuese una niña que le hubiera preguntado a su tía por su divorcio. Decidí que los narcóticos hacían de Scott una persona mejor, porque preservaban su sinceridad dificultando plausiblemente su capacidad para mentir.

Me pregunté qué le diría Julian de mí a otras mujeres.

Madison intentó besarme. La lengua le sabía a algo barato, como salida de una lata.

—Aún no me has dicho si te gustan las mujeres —me dijo.

—Hay muchas cosas que no le cuento a la gente —respondí.

8

—Mamá cree que hay un hombre —me dijo Tom por teléfono.

—¿Por qué?

—Dice que una madre sabe ese tipo de cosas y que por eso lo sabe. Tiro indirecto, pero certero.

Tom me habló sobre su carrera. Estaba estudiando filosofía sin mucho entusiasmo, pero hacía los trabajos e iba a las clases y todo. Un profesor le había dicho que estaba destinado a tener un expediente medio-alto y eso no le ofendió como me habría pasado a mí. Mi madre no dejaba de preguntarle qué iba a hacer cuando terminase.

—Mira, llevo un tiempo queriendo contártelo... —me sorprendí de pronto diciendo— pero no le digas nada a mamá. Sí que hay un hombre.

—Vale.

—No es nada serio. Aunque por ahora va bien. Es un pijo, eso sí. No un pijo dublinés, un pijo británico. Dice mucho «por favor».

—Siempre he pensado que te iba ese rollo.

—¿Qué se supone que quiere decir eso?

—Venga ya, Ava.

Era cierto que Julian encajaba en mi historial. Mis dos exnovios de cuando vivía en Irlanda habían ido a escuelas privadas del acaudalado sur de Dublín y lo sabían todo sobre rugby. (Que no tuviesen ningún interés personal por ese deporte solo convertía ese detalle en una marca de estatus aún más evidente.) Era el tipo de teoría que yo podría elaborar muy fácilmente sobre otra persona: Ava se siente atraída hacia parejas sentimentales ricas como vía para acallar su ansiedad de clase. En la práctica, tener sexo con gente rica solo ahonda en la percepción de sí misma como persona no rica, y pese a todo sigue haciéndolo.

Sin embargo, me resultaba muy mecánico llegar a una conclusión similar sobre mí misma. No podía evitar creer que debía haber algo más complejo que eso.

—¿Y tú qué tal? —le pregunté a Tom.

—No hay nadie ahora mismo. Te lo contaré cuando pase.

—Siempre dices lo mismo. Y luego, a los tres meses, vienes en plan ay, había alguien, pero ya se ha acabado.

—No te lo cuento hasta que es importante. Pero entonces, cuando sé que es importante, rompemos.

—Pero ¿tú tienes voz y voto?

—A veces incluso soy yo el que rompo. Pero nunca lo veo venir. Autoconocimiento, que dirías tú.

—Tú tienes más de eso que yo.

—No, eres tú la que te conoces demasiado. Eres capaz de convencerte a ti misma de cualquier cosa. Y luego no hay quien te desconvenza.

—¿Por eso no has dicho nada sobre Julian?

—¿Julian se llama el inglesito?

—No le digas inglesito.

—Pero es un inglesito.

Reconocí que eso era un hecho.

—Mira, yo no puedo decirte lo que tienes que hacer —soltó Tom.

Ojalá hubiese podido. Mi actitud no pasaba de: me alegro de que Julian no exija más intimidad y me enfado con él por no ofrecérmela. Vivo gratis en su piso y me quejo de que eso haya generado extrañezas en nuestra dinámica. Odio necesitarlo y esa sensación no la afronto asumiendo la responsabilidad de mi propia felicidad sino jugando a los juegos que dicta él, que perfectamente podría estar dictando yo porque no estoy segura de quién lo empezó todo.

Quería contarle a alguien todo eso y que me dijese: Ava, no estás siendo nada razonable; o bien: Ava, todos tenemos nuestra cruz pero en la tuya hay más clavos que en ninguna. Cualquier cosa menos: pinta complicada la cosa.

—Te dejaré tranquilo —le dije.

Tom tenía a más de una persona a la que le gustaba ver de verdad.

* * *

En el trabajo me imaginaba cosas bonitas que podrían ocurrirme siendo una persona distinta. Cuando me daba cuenta de que había estado soñando despierta, empezaba a hacer listas de cosas que no me gustaban de mí y que querría corregir. Mientras los niños practicaban esquemas de trabajo, pensé: pies planos, manos fofas, torpeza, cobardía moral. Matthew Yim hizo una pregunta y me sentí groseramente interrumpida. El cartel de enfrente decía «PREPOSICIONES DE MOVIMIENTO». Se veían ranas en sitios distintos: en la mesa, debajo de la mesa. Pensé: pálida, hostil con gente que solo me ha mostrado amabilidad, probablemente mala en el sexo.

En la sala de profesores, los demás estaban hablando de hijos adoptivos frente a biológicos.

—Yo adoptaría. No le impondría a nadie mi acervo genético —dije.

—¡Ay, no hables así de ti misma! —respondió Madison de Texas.

A la lista añadí: sentido del humor no apto para todo el mundo.

* * *

Pasadas tres semanas de diciembre, el día antes de que regresara Julian, le mandé un mensaje.

> oye perdón x cómo me he portado contigo. he sido cruel sin necesidad y lo justifico como una praxis socialista cdo no lo es. tp quiero decir q soy horrible xq sé q lo haría para q me dijeras q no. pero me gusta tenerte en mi vida.

Lo envié desde el balcón. Si tiraba el móvil a las vías nunca vería si me contestaba o no. El patio de delante del vestíbulo parecía un pequeño mosaico desde arriba. Personas-hormigas representaban sus historias personales con el mismo grado de inmersión con el que yo experimentaba la mía.

Julian respondió unas horas después.

> Gracias por tu mensaje. Sé que no habrá sido fácil de escribir. Nos vemos pronto.

Podía significar cualquier cosa, incluido lo que fuera que pretendiese significar.

Le di una sorpresa en el aeropuerto. La zona de llegadas era enorme, pero con su altura no costaba nada distinguirlo. En el control de pasaportes lo tenía ya todo listo para no perder tiempo ahí. Cruzó su mirada con la mía desde lejos. Corrí a su encuentro.

9

La actividad bancaria se ralentizó justo antes de Navidad. Me pareció que Julian lo contaba disconforme. Su director le había dejado caer en tono enigmático que le iba a encantar la bonificación que tenía asignada, es decir, que iba a ser excelente o inexistente.

—Hengeveld es un yanqui sádico y cabrón, así que seguro que es lo segundo.

Julian no hacía planes financieros que dependiesen del dinero y luego se quedaba desconcertado sin saber qué hacer con lo que tenía. Le dije que debía de ser duro para él.

—Por cierto, ¿qué pintaba ese «yanqui» en tu frase? —pregunté.

Se quitó la chaqueta del traje y la colocó primero a ella y luego a sí mismo en el sofá, como diciendo: insiste, desarrolla tu pregunta.

—Siempre pareces más resentido cuando tus superiores son estadounidenses —continué.

Julian me explicó que había una diferencia considerable. Cuando un director estadounidense quería algo en su mesa a la mañana siguiente, decía que lo quería en su mesa a la mañana siguiente. Uno británico te diría que no era nada urgente, que a la mañana siguiente estaba bien.

Esa noche nos puse a intentar cocinar, y así lo dije («Vamos a intentar cocinar») para que Julian lo viese como una actividad cultural, tipo clases de cerámica. Cortó las verduras y comentó que eso sería algo que haría profesionalmente si estuviese mejor pagado que la banca. Le pregunté si había algo que no estuviese dispuesto a hacer por más dinero y me respondió que no, que probablemente no.

—He de contarte que voy a tener que ver a mi padre —me dijo.

—Es bastante normal. Es Navidad.

—Pero si tengo que pasar la Navidad con Miles y tú quieres pasar la Navidad conmigo, eso significa que tendremos que ir los dos.

—No me importa. Me encantaría conocerlo.

Le caerás bien. Odia el «neoliberalismo», aunque nunca lo he escuchado dar una definición al respecto.

Coloqué los cubiertos y las copas de vino. Después de cenar, Julian leyó uno de sus tochos victorianos y se animó a sí mismo a dejar de fumar terminándose una cajetilla de tabaco chino que calificó de «especialmente infame». Yo me puse a mirar cosas en el móvil y a equilibrar mi energía mental entre a) especular sobre si las ideas políticas de su padre sugerían que había algún traumita paternal vinculado a la atracción que Julian sentía hacia mí, y b) ocultarle este proceso mental normal y sano a Julian. Eso era lo que hacíamos. Éramos la suma de las rutinas que habíamos construido el uno en torno al otro.

* * *

Joan me pidió que les enseñase a los niños cómo era la Navidad en Irlanda. Al oír mi descripción, empecé a dudar de que fuese eso lo que en realidad hacía mi familia. Dije que la gente iba a la tienda de árboles a comprar un árbol y tuve la sensación de que probablemente todo fuese mentira.

A los niños no les interesaba nada aquello. Joan siempre me decía que aportase mi valor añadido, que les contara cosas que un profesor hongkonés no pudiera contarles. Pero ninguna de esas diferencias tenía importancia. A veces en Navidad nieva, dije, pero lo más frecuente es que no. La gente se baña en el mar. El agua está muy fría. Pero se está calentando, como en todas partes, y seguramente nos toque vivir la subida del nivel del mar y los océanos nos ahoguen.

Esa semana, en todas las clases, el centro de atención era siempre la persona que fuese a viajar más lejos durante las vacaciones: Mary Yeung a Bangkok, Hsu Chung Sun a Sídney, Emmeline Fan a Nueva York. Algunos iban de visita familiar. Otros obedecían al principio inamovible de no esperar nunca que los ricos permaneciesen demasiado tiempo en un mismo sitio.

Cuando esa noche echamos la persiana, Joan se puso a despotricar de una madre de Beijing que quería que los folletos sobre las clases estuviesen en chino simplificado además de en chino tradicional. Entre frase y frase, Joan mordisqueaba bolas de pescado enganchadas a un pinchito de bambú. Al ver ahí una oportunidad de estrechar lazos, le dije que había habido debates similares sobre la ortografía del irlandés. Joan soltó el cuenco y me preguntó cuál usábamos. Le dije que lo habíamos simplificado y Joan retomó los mordiscos. Tenía guardadas muchas quejas contra la China peninsular. Las referidas a la autonomía política de Hong Kong eran convincentes y las referidas a turistas, no tanto.

El último día antes de las vacaciones de ese trimestre, Joan me dijo que llamase a mi madre el día de Navidad.

—Lo haré.

—Es importante.

—Tienes razón, Joan.

—Las madres son importantes.

—Lo son.

10

Miles y el camarero charlaban en cantonés. De vez en cuando, Miles nos señalaba a uno de los dos, y Julian no paraba de actualizar el correo en el móvil.

Era Nochebuena. Habíamos quedado en el vestíbulo de los ascensores de Percival Street. El edificio tenía treinta plantas y al menos el mismo número de restaurantes en la torre. El sitio al que íbamos estaba revestido de madera oscura, con biombos de papel y mesas redondas de caoba. La conversación entre Miles y el camarero había empezado con la búsqueda coordinada de opciones vegetarianas para mí, aunque me pareció que a esas alturas habían cambiado de tema.

—Nunca se había pasado tanto tiempo hablando con un hongkonés —dijo Julian cuando el camarero se fue—. Lo ha hecho para demostrar que tiene mano con nosotros, los *gweilos.*[1]

(1) *Gweilo* en realidad significa «hombre fantasma», pero es el término cantonés que se utiliza, de forma más o menos peyorativa, para referirse a los occidentales, por su elevado porcentaje de tez blanca y ojos claros.

—O a lo mejor es que tu padre estaba siendo agradable —añadió Miles.

Julian me había contado que Miles tenía sesenta y tres años. Como su hijo, él también sentía predilección por las camisas. Al contrario que las de Julian, las suyas eran de raya diplomática y estaban sin planchar.

En el metro, de camino, Julian me había pedido que no mencionase nuestra relación.

—Tú no digas nada. No va a ser el único proboscídeo que tengamos sentado a la mesa.

—¿Y por qué no se lo cuentas? Así nos deshacemos de uno de los elefantes, si es que lo de «proboscídeo» ha sido una especie de broma pretenciosa con el latín —le había respondido.

—Porque no quiero que lo sepa. Y en realidad era una broma pretenciosa con la taxonomía.

—Pero si has dicho que ya lo sabe.

—Correcto. Y no me importa que lo sepa. Pero no quiero ver que lo sabe —había replicado Julian.

Listo con el latín, listo con la taxonomía, intelectualmente capaz de soportar que lo llamaras pretencioso siempre que encajases en su predilección por fustigar a las mujeres. Para mí no había vacaciones. La frase «su predilección por fustigar a las mujeres» además me pareció interesante, gramaticalmente hablando. A veces me chocaba que fuese igual de viable afirmar de Julian que se las había arreglado, por ejemplo, para conseguir llevarme a conocer a su padre y que aun así todo girase en torno a su desapego, a sabiendas de que desapego era algo que yo quería de él y al mismo tiempo no, algo que Julian exprimía de acuerdo con esos dos niveles opuestos de deseo, a modo de zanahoria y de palo, respectivamente; aunque ya debatirían los historiadores sobre todo esto cuando estuviésemos muertos y despertásemos interés.

El camarero regresó con tres vasos de agua caliente.

—Bueno, Ava, cuéntame, ¿qué opinas sobre las elecciones? —me preguntó Miles.

—¿Las de Hong Kong? —dije.

—Sí, sí, las de jefe ejecutivo que se celebran en marzo.

—Deja de interrogarla —intervino Julian—. Al fin y al cabo son todos marionetas de la península.

Debería haberme sentido agradecida, pero no fue así. ¿Creía Julian que no sabría manejarme con Miles? Lo cierto era que no conocía a un solo candidato ni por el nombre, pero él no sabía eso de mí.

—Vale, ¿y tú qué dices, Julian? —siguió Miles—. ¿Lam o Tsang? Porque bien sabe Dios que con el perdedor no vas a ir.

—Eso no es cierto. Estuve con Blair hasta el final.

—Y contra Corbyn desde el principio.

—No tengo ningún problema en admitir mis prejuicios contra la idea de poner a un pirado peligroso a liderar un partido.

—Apiádate de mí, Ava —me dijo Miles—. Lo único peor que un padre de centro es un hijo de centro.

—¿Cuánto le paga tu universidad al personal de limpieza, Miles? —siguió Julian.

—Vergonzosamente poco. Casi podría considerarse un indicador de que el capitalismo no remunera de manera justa el trabajo importante desde un punto de vista social.

—No sé qué creará más empleo, si yo dirigiendo el capital hacia donde pueda estimular el máximo crecimiento o si tú escribiendo libros sobre cómo eso me convierte en un parásito burgués.

—Los libros, sin duda. Hordas de articulistas del *Guardian* mantienen el hambre a raya fingiendo haberlos leído.

—Pues yo lo hago gratis. Así que a lo mejor el comunista soy yo.

Miles se digirió a mí.

—¿Qué te trae por Hong Kong, Ava?

—Soy profesora.

Intenté dejar en equilibrio los palillos sobre el cuenco, hasta que me di cuenta de que había un soporte pequeño de madera para eso. Nunca sabía cómo reaccionar cuando alguien me hacía una pregunta obviamente para integrarme en una conversación. ¿Cuánto podía decir como respuesta sin abusar de su generosidad?

—¿Profesora de qué? —continuó Miles.

—De inglés.

—Dile a Ava lo que opinas sobre Irlanda —intervino Julian . Seguro que le encanta.

—Antes me gustaría escuchar lo que crees tú que opino yo sobre Irlanda —repuso Miles.

—¿No era que la independencia fue una pérdida de tiempo porque el estado libre aún no ha hecho la transición al comunismo pleno?

—Agradezco ese «aún». Pero no soy consciente de que esa fuera mi opinión en concreto. Sí que creo que la república ha traicionado a la contingencia socialista que luchó por ella.

—¿Y cuándo deberíamos habernos ido? —preguntó Julian—. Siempre que los británicos se han ido después que los irlandeses a ti te ha parecido demasiado tarde, pero lo de Irlanda fue demasiado pronto.

—¿Cuándo he dicho yo que lo de Irlanda fuese demasiado pronto?

—No te gusta nada lo que pasó después de que nos fuésemos. Lo único contrafactual es quedarse más tiempo.

Miles sopló su taza de té.

—El hecho de que consideres que eso es lo único contrafactual ya me dice todo lo que necesito saber sobre el profesorado de historia de Oxford.

—Creo que la cabezonería ideológica me viene de una influencia ligeramente anterior —respondió Julian.

Después de eso, dejaron de hablar de política un rato.

* * *

El piso estaba frío cuando regresamos. Encendí la calefacción y me envolví en una de las mantas. Julian me preguntó qué me había parecido Miles. Le dije que me caía bien.

—No pretendo ponerte en su contra, pero creo que deberías saber que mis padres se divorciaron porque él tuvo una aventura.

Julian no quería que yo respondiese con algo compasivo, así que no lo hice. Tenía los zapatos arañados. Le dije que los dejara al lado del sofá para lustrárselos al día siguiente.

—¿Por qué te mandaron interno a Eton? —le pregunté. Me parecía propio de gente desviada que unos padres le hicieran eso a su hijo, y especialmente si esos padres eran marxistas.

—Fue cosa de Florence. Una batalla crucial. Florence pensaba que Miles quería, cito textualmente, sacrificar la educación de su hijo en el altar del socialismo. Miles pensaba que Florence buscaba, cito textualmente, encerrarme en una burbuja burguesa hermética. La situación fue aún más tensa porque teníamos derecho a beca, pero a Miles le parecía intolerable que le quitásemos ese dinero a alguien que de verdad lo pudiese necesitar.

Y con eso ya lo sabía todo sobre su vida familiar, me dijo. Bueno, todo lo que sabía él, que sospechaba que podía ser relativamente poco.

Advertí que aquel era el tipo de confidencia que Julian se arrepentiría de haber hecho al instante, así que no le pedí que ahondase.

11

El día de Navidad, Julian fue a la iglesia con Miles. Yo me quedé en la cama y llamé a mi familia por teléfono. Cuando regresó, los regalos: collar para mí, cartera para él, el tipo de cosas que les regalabas a tus amigos cuando querías que supieran que habías superado el límite de gasto. Era la primera vez que le compraba algo. No pude evitar pensar que debería haberle pedido permiso.

Ralph y Victoria organizaron una cena de Navidad. Tenían un piso con habitaciones grandes y blancas, una mesa larga de cristal y, oh, sorpresa, suficientes amigos para llenarla.

Victoria nos fue pasando unos canapés de pato y dijo que era una pena que Seb (de Slaughters, era, o de Linklaters) y Jane (de JP Morgan o de Morgan Stanley) no hubiesen podido ir, aunque vaya suerte la suya de tener tiempo para viajar a casa.[1] Entendimos con eso que Ralph y Victoria eran más im-

(1) Slaughter and May y Linklaters son dos importantes multinacionales de servicios de abogacía. Curiosamente, el término *slaughter* en inglés significa «matanza», «masacre» o

portantes que los Morgan que mataban y luego se asociaban, que nosotros también lo éramos porque si no estaríamos con nuestras familias en vez de en Hong Kong, y que si Seb y Jane se hubiesen quedado en el país habrían acudido a la cena. Podía decirse que el espíritu festivo había sacado a Victoria del círculo en el que nos había metido a nosotros, sus invitados, con sus afirmaciones sobre quién estaba más ocupado. O podías ser yo y no tener dinero para viajar a casa.

No probé ningún canapé.

—¿Te estás sintiendo bien, Ava? —dijo Victoria.

La elección temporal hablaba por sí sola.

—Soy vegetariana —respondí.

Victoria tenía los dientes grandes. Le dificultaban mucho sonreír sin asustar a la gente, motivo por el cual Victoria sonreía tanto.

Después de cenar, todo el mundo fingió que aquella era una de esas ruidosas fiestas navideñas que se celebran la semana antes. Era más fácil eso que actuar como si fuésemos familia. Ralph puso *jazz* y con cada tema nuevo le decía a cualquiera que mostrase algo de curiosidad que era una pena que el músico en cuestión hubiese muerto joven.

Victoria me llevó junto a su «otro» amigo irlandés, como si nos hubiese recibido a los dos de importación a petición mutua. «Esta es de las tuyas, Oisín», dijo, y el hombre la miró como si Victoria le hubiese dado unos papeles de adopción rellenos con ceras de colores. Oisín no tardó en mencionar que había estudiado en el Gonzaga College. Era una persona irlandesa rica que prefería tener la riqueza en común con

---

«sacrificio», mientras que Linklater (pese a tener un origen etimológico bien distinto) se compone de los términos *link* y *later*, es decir, «vínculo», «unión», «enlace» y «después», «más tarde», respectivamente. Por su parte, las algo más conocidas JP Morgan y Morgan Stanley son dos financieras de nombres semejantes, aunque sin un significado en particular.

Victoria a Irlanda en común conmigo, y que estaba molesto con las dos por haberle abierto los ojos al hecho de que Victoria viese así las cosas. Con la boca dijo que qué genial encontrarse a otra «San Patricio» en el extranjero, y con los ojos matizó: ni se te ocurra joderme esto.

Para amortiguar la cosa, integré en el grupo a dos ingleses a los que ya conocía de encuentros anteriores. Así podría caerle bien a Oisín. Les caí bien a los tres y yo había tomado suficiente vino para fingir que ellos a mí también. Alguno dijo que Julian me había calificado de «muy lista». Sentí el impulso de abalanzarme sobre Julian, mirarlo desde abajo y soltarle: muy lista; lo diría tal y como me estaba bebiendo el vino de Victoria: disfrutando de no haberlo pagado. Entonces me tendría en la palma de su mano para siempre. No necesité ayuda para completar la frase («... teniendo en cuenta...»), pero opté por quedarme embriagada con las dos primeras palabras.

Victoria nos había dejado solos y se había ido con Julian, junto a la ventana. Estaba riéndose y llevaba ella el peso de la conversación, así que deduje que se reía de sus propias bromas.

No podía acercarme. Julian pensaría que echaba de menos a mi dueño.

En grupos, Julian hablaba en tono muy bajo y lento. En realidad, esa calmada indiferencia dejaba entrever tanto privilegio como lo hacían los rebuznos de Ralph (o más, dado que Julian te obligaba a prestarle una mayor atención), pero ejercía un efecto relajante. Yo también solía hablar en voz baja, y a veces pensaba: un poco más bajo y nadie podrá oírnos.

—Esa tipa iba tajada —gritó Victoria.

Me pregunté si Victoria era una persona de verdad o tres hermanas Mitford metidas en un abrigo largo.

—Sí, ¿eh? —dijo Julian.

Los hombres que me rodeaban estaban hablando de sus universidades. Como persona adulta con un trabajo, ese tema me resultaba insulso, pero los hombres británicos eran gente con recursos y la universidad les parecía no solo interesante, sino lo más interesante que hubiesen hecho en su vida. Andrew había ido al Radley College y Giles, a la Manchester Grammar School. Giles bromeó diciendo que eran universidades similares, y así entendí que la de Andrew era mejor. Rememoraron anécdotas de rugby. Oisín intervino para que los otros dos supieran que en Gonzaga también se jugaba. Max se unió al grupo, esperó y luego desenfundó: la Westminster School.

Yo estaba fuera de sus figuraciones. Nadie me preguntó dónde había estudiado.

—¿Nos hacemos unas rayas? —propuso Oisín.

Un inglés no lo habría preguntado de forma tan vulgar, pero se hizo entender.

Yo rechacé la oferta. A Julian no le habría gustado. Él sí tomaba coca a veces, pero decía que yo tenía una personalidad adictiva. Estaba demasiado encantada con el «muy lista» para guardarle rencor por eso en la fiesta, así que lo reservé para la siguiente vez que lo odiase y me faltara un motivo razonable. Controlar lo que hacemos las mujeres con nuestros cuerpos, pensé, de forma preliminar. Los hombres se pusieron a pintar y yo fui al baño. Al volver, me topé con otro hombre que me miró, murmuró «la de Julian» (como podría haber dicho «silla» o «arreglo floral») y siguió tambaleándose.

En el taxi rojo de vuelta a casa describí a ese hombre. El conductor tenía siete teléfonos de diversa antigüedad enchufados al salpicadero. Julian me vio mirarlos y me explicó que eran para organizar los trayectos reservados. Me di cuenta de que estaba borracho porque dijo mi nombre muy lentamente y cuando le estreché la mano apretó mucho los dedos. Entonces preguntó: «¿Era Chris Marshall?». Le contesté que no lo sabía. Julian dijo que tenía que ser Chris Marshall, que todas las mujeres tenían alguna historia relacionada con Chris Marshall y que al menos en la mía no había manos de por medio. Le pregunté por qué invitaban a Chris si era, en el mejor de los casos, un cerdo *contactless*, y Julian respondió que había estudiado en la Haberdashers' con Will y en la Bristol con Ellie, así que no podían excluirlo sin más.

Pocos de esos nombres significaban algo para mí, pero yo no recibía invitaciones directas.

* * *

A la mañana siguiente echamos un polvo y durante un rato me sentí segura, abrigada y comprendida. Lo arañé un montón, me llamó cachorra de tigre y yo fingí sentirme infantilizada por ese comentario porque me hizo muy feliz. Excepcionalmente, me acarició el pelo. Dijo que le caí bien a todo el mundo en casa de Victoria. Me pregunté si estaba siendo agradable conmigo porque (motivo usual) sus amigos querían follarme (especial vacacional), yo estaba lo bastante sola para aceptar pasar la Navidad con una gente horrible y encima alegrarme de que me aguantasen, o (chica lista) me había corrido más rápido de lo normal y Julian creía en el refuerzo positivo. Quise decirle que, en un contexto en el que el afecto era circunspecto, las formas afectuosas evidentes resultaban por fuerza hostiles. Mira, le habría dicho, es como la gramática inglesa: no tiene sentido pero ya es demasiado tarde para cambiarla. Cuando me compras ropa significa que quieres acariciarme el pelo, así que cuando me lo acaricias de verdad significa que quieres que me vaya a Siberia a morirme.

Entonces dijo que se iba al aeropuerto. Tenía reuniones en Bangkok. Le pregunté cómo alguien podía esperar que acudiese, y me contestó que si el personal de los restaurantes trabajaba en Nochebuena él podía hacerlo perfectamente el día después de Navidad. «El día de san Esteban», maticé, y respondió que no, que era el día después de Navidad y punto.[2] Le dije que estaba equivocado. Me replicó que era yo la equivocada. Estuve a punto de pedirle que se quedara, pero noté crecer en mi interior la necesidad de que no saliese nunca de aquella cama, ni yo tampoco, un proyecto que Julian no parecía muy propenso a avalar, así que me contuve.

(2) El 26 de diciembre, en lugares con una arraigada tradición católica como Irlanda (que no protestante, como Inglaterra) se celebra el día de san Esteban, mientras que en el resto de sitios no suele celebrarse nada en especial.

12

Enero de 2017

A la semana siguiente, Julian se subió a un taxi en el aeropuerto para reunirse conmigo en la estación de Admiralty. Iba de traje. Yo llevaba un vestido negro, así que parecíamos una pareja de gemelos especialmente anodinos. Fuimos andando hasta el LockCha Tea House, pasando junto a las fuentes y los setos tan bien recortados del Hong Kong Park. Le pregunté cómo estaban las cosas por Tailandia. Por la voz soné como una de esas personas que tenían a menudo ocasión de reflexionar.

—Poco a poco. Hay todavía un montón de gente de duelo por el rey.

Nos quedamos en la puerta, fuera, mientras Julian se terminaba el cigarrillo. Le dije que quería dejar el trabajo.

—Bien. No te pagan lo suficiente.

—No es por el dinero. —Fui a crujirme los nudillos, pero

me acordé de que no era bueno hacerlo—. Voy a empezar a pagar el alquiler.

—No te preocupes por eso, aunque necesitas un plan.

Estrujó la colilla como diciendo: este es el mío, por ejemplo.

En la cafetería, la carta tenía unas casillas en las que marcar lo que quisieras pedir. Julian me endosó a mí el lápiz. Sentí que eso implicaba que, por defecto, el lápiz era suyo. Elegimos la sopa de *huai shan* y bayas de *goji*, la ensalada de pepino amarillo, las bolitas hervidas rellenas de tofu y la pasta de arroz envuelta en hojas de loto. Llegó el té verde y luego el *dim sum*.

—Todavía no sé lo que quiero hacer. Me refiero a largo plazo —dije.

—¿Y si das clases? Si te sacaras una titulación, a lo mejor luego una escuela de verdad no está tan mal.

—Es que me exige demasiado.

Se suponía que a cualquier persona debía parecerle adorable que los niños solo pensaran en sí mismos. En teoría eso te despertaba las ganas de tener uno propio, sobre todo siendo mujer. Sería una gran obra de caridad para con los padres que les contase que sus hijos en realidad sufrían de una forma de egocentrismo que algunos adultos dejaban atrás y otros no. Así podrían anotar los factores de riesgo: hijo único, hijo único varón, hijo único varón de escuela privada cuyos padres, en contradicción con sus ideas políticas manifiestas, se lo dan todo hasta que alcanza la edad de comprarse las cosas él solito, felación potencialmente incluida según qué sensación tuviese yo en el momento dado respecto a mis motivaciones. Aunque nada de eso parecía tener cabida en los informes de final de trimestre.

—El trabajo de mis sueños es ser correctora —le dije a Julian—. ¿Los bancos necesitan correctoras?

—De eso se ocupan los analistas.

—A lo mejor puedo hacerme analista.

—No es su única tarea. Son unos lacayos. La mitad de su trabajo consiste en hacer cosas que yo solucionaría más rápido por mi cuenta, pero cuando alcanzas cierta experiencia no puedes ocuparte de tareas monótonas. Se considera poco apropiado.

—Y ahí está la famosa eficacia del capitalismo.

—Ese comentario ha sido inequívocamente milesiano. Tómate la sopa.

Julian me recordaba a menudo que comiese. Le hacía sentirse mejor frente al hecho de que le gustase que estuviese delgada.

Pasamos a ocuparnos del *dim sum*. Se suponía que había que comerlo con todo compartido en el centro, pero había cosas que a él no le gustaban, así que lo dividimos en dos platos para tomarlo individualmente. Julian dijo que no le importaba que no hubiese carne, pero que tenía que haber alguna proteína para sustituirla. Mencioné el tofu y dijo que se refería a algo que no fuese de soja.

Cuando habíamos terminado de comer, Julian comentó:

—Recuerdo la primera vez que te vi. Caminabas muy cuidadosa con los tacones. Yo me preguntaba qué hacía una persona tan tímida con tanto pelo.

—Buena frase. ¿Te la has estado preparando?

—He hecho varios borradores. Taché algunas comas en el vuelo de vuelta.

—No tengo tanto pelo. No comparada con Victoria. Y la mayoría de la gente no cree que sea tímida ahora mismo.

—Cierto. Seb piensa que eres, cito textualmente, avispada.

—Diría que «avispada» es una de esas palabras que se

usan para no llamar directamente sexi a alguien, aunque todo el mundo sepa que lo estás haciendo. ¿Cuál era Seb?

—Pelo desaliñado. Departamento de Demandas.

—El encantador Seb. Me sorprendió esa solicitud de amistad.

Los dos estábamos contentos. Julian había adulado tanto mi chispa exterior como la capa interior que solo veía la gente inteligente. Sabíamos que yo era compleja y otra gente no. Eso nos hacía ser mejores, o en cualquier caso distintos, algo que, a la vista del desprecio que sentíamos por el resto, nos seguía haciendo mejores. Y la guinda: éramos atractivos, yo porque le gustaba al encantador Seb y Julian porque cómo iba a estar alguien que le gustaba al encantador Seb con alguien menos encantador que el encantador Seb; y mientras, la instigación de Julian nos garantizaba estar llevando a cabo una transacción emocional en última instancia superficial en la que hacía su aparición lo «encantador». Julian me estuvo hablando todo el rato como una persona distante querría que le hablasen, lo que me indicaba que lo había convencido, a él, aunque no a mí misma, de que yo era distante. Y le devolví el favor.

No siempre voleábamos bien, pero cuando lo hacíamos surgía la magia.

—Por cierto, Victoria está pillada por ti —dije.

—Demasiado pelo.

Como en cualquier juego de revés, cuando un profesional jugaba contra otro la cosa parecía fácil.

Yo sabía bien cuál era nuestro sitio. Se suponía que la gente buena terminaba teniendo dinero, y mi pretensión era ser buena, así que los ceros de Julian parecían ser aditivos. Eso era distinto a pensar que lo fuese él o lo fuésemos los dos. Me tomé la sopa.

En el paseo de vuelta me ofreció un cigarrillo. Le dije que ya tenía suficientes problemas sin necesidad de adoptar los suyos solo por acompañar. «¿Acompañar a tus otros problemas o acompañarme a mí en mi dependencia de la nicotina?», me respondió, y le dije: «Que te den», sonriendo para recordarle que en irlandés era una expresión de cariño. Me sentía protectora cuando Julian fumaba. No tenía ningún sentido, porque con ello estaba perjudicando mi esperanza de vida, pero la suya la arriesgaba aún más, suponía yo.

A veces pensaba que viviría décadas después de que él muriera. Entonces me explicaría lo suyo. Los hombres vestían de traje en esa época, me diría. Ganaban más que las mujeres. En Irlanda te condenaban a cinco años por violación, a catorce por abortar el feto de tu violador y a una vida entera enclaustrada por el hecho de que te hubiesen violado, y cuando naciste aún había conventos con claustros funcionando. Nada de eso era culpa directa de los hombres que te follabas, pero sí influía en cómo te tomabas lo de follar con ellos, sobre todo en Dublín, donde encima en ocasiones necesitabas pedirles dinero. Nadie podía ponerse a tener relaciones sexuales haciendo todos esos cálculos mentales sin que le afectase allá donde fuese, aunque no todas las mujeres respondían de una manera tan poco sutil como follándose a un banquero.

Había otras razones por las que él te gustaba, algunas bastante puras en realidad, como su ironía o su evaluación compartida de que los dos erais mucho más inteligentes que el resto de las personas que conocíais. Todas las parejas pensaban cosas por el estilo de sí mismas, pero tú confiabas, por su bien, en que no viesen reflejado en sus relaciones lo demás que había en la vuestra, porque la mayor parte de eso no era algo con lo que quisieras identificarte, y eras una mitad de esa pareja real. Matemáticamente, si no querías ser la «mayoría» en una pareja, lo que equivalía a más del cincuenta por ciento en una entidad de dos, no era recomendable que practicases el amor propio. Erais individuos retorcidos emparejados con éxito, como un arca de Noé de sociópatas. O a lo mejor erais seres humanos bienintencionados pero imperfectos con unos recursos emocionales inusualmente escasos a vuestra disposición. Gastar dinero y manejarse bien con los hombres era más fácil que practicar una generosidad real.

Tu desapego performativo tenía que ver con algo más, no solo con la enmienda constitucional que ilegalizaba el aborto, que sin embargo te acompañó cuando te marchaste de Irlanda. Sentías miedo cuando los hombres se corrían dentro, aunque no estabas segura de si eso les pasaba a todas las mujeres irlandesas o solo a ti, y a veces les decías si querían correrse en tu boca porque con todo seguías alojando en algún sitio la sensación de que se lo debías. Cuando te corrías tú, tenías miedo contra todo precepto biológico de que eso pudiera sentenciarte. Sabías que si le contabas algo de esto él entendería lo justo para que se le rompiera el corazón, pero comprobar lo poco que sería capaz de entender él antes de romperse también te rompería a ti. Eras irónica con él, y contigo misma. Era una locura.

13

En los primeros días de enero empezó de nuevo el trabajo. Madison de Texas me saludó lanzándose a describir su rutina saludable de «año nuevo, vida nueva».

—Pues yo voy a ser yo, pero peor —le dije.

—Creo que te estoy pillando el rollo —me respondió y se echó a reír muy ostentosa; aunque lo mío no había sido en broma.

Mi actitud era más callada y más abiertamente renuente, y fue quedando más claro que nunca que el resto de los profesores me consideraban rara. Me había topado tantas veces, y en tantos sitios, con esa misma opinión que había terminado pareciéndome reconfortante. Da igual que un hecho sea bueno o malo, pensé. Eso deja de importarte cuando todo el mundo coincide. El consenso de la gente lo convierte en certeza, y la certeza transmite seguridad.

Lo principal que consideraban extraño en mí era mi forma de pasar las pausas del almuerzo. Salía de la escuela, con cuidado de no robar ningún minuto, y regresaba justo a tiempo. La pared de la sala de profesores era fina. Oí a Scott de Arkansas decir: «¿Adónde irá?». Yo alternaba entre el Starbucks y el Pacific Coffee con la esperanza de que los baristas nunca llegaran a reconocerme. No parecía haber nada de excéntrico en eso, pero el cuchicheo de mis colegas me hacía sentir que seguramente tuviesen razón y todo aquello demostrara que había algo defectuoso en mí.

A Victoria también le parecía rara. Los fines de semana buscábamos con dificultad temas de interés común mientras los hombres debatían de cosas como la victoria de Inglaterra sobre Gales. (Julian describía el resultado como «crucial, cardinal incluso», ante una ronda de asentimientos y más tarde me decía que creía que el deporte en cuestión era rugby, aunque no estaba seguro.) Cuando Victoria estaba borracha, íbamos al baño. Le gustaba mirarse en el espejo. Tenía un montón de pelo. Las pijas tenían más pelo que yo, aunque con bastante frecuencia era pelo de otras cabezas.

—Me follaría a Julian —me dijo un sábado noche.

—Vale.

Me pregunté si le picaría el cuero cabelludo por tener pegado pelo de gente ajena.

—¿Crees que él follaría conmigo?

—No lo sé. A lo mejor.

—Alguna idea tendrás.

Extendí las manos abiertas como sujetando una opinión que no veía pero cuyo peso sí notaba.

—Ya te lo he dicho. No lo sé.

—Nunca ha intentado follar conmigo. No sé si lo haría —siguió Victoria.

—No soy la mejor persona a la que preguntarle eso.

—Tú te lo estás follando. Eso tiene que darte alguna pista de a quién más se follaría.

—No, la verdad es que no.

Me dijo entonces que qué pena que Julian y yo no fuésemos pareja. Kat parecía una persona difícil de la que recuperarse. Cuando Julian estuviese listo, encontraría a alguien. Lo mío era una especie de transición.

Me pregunté qué pasaría si le tiraba del pelo: si los trocitos que eran suyos se quedarían en su sitio y saldrían solo las extensiones de otras cabezas, o si se desgajaría todo entero en caso de tirar con la fuerza suficiente.

* * *

El cielo estaba denso y bronquial. Joan me había dicho que me cubriese la cabeza si llovía para que no me cayese ácido en el cuero cabelludo. Aseguraba que desde China llegaban sustancias químicas perjudiciales, aunque las olías emanar de los camiones y autobuses que iban al ralentí por las calles. Me descargué una aplicación para comprobar la calidad del aire todas las mañanas. Una carita feliz significaba que era seguro; una neutra, que los riesgos para la salud eran moderados, y la enfadada era para quedarse bajo techo. Después de siete caritas enfadadas consecutivas, borré la aplicación. No necesitaba esa negatividad en mi vida.

Julian me preguntó si echaba de menos mi país. Le dije que no toda la gente irlandesa era tan provinciana.

—Es normal echar de menos a la familia —me dijo.

Le contesté que por eso a mí no me pasaba.

El problema con mi cuerpo era que tenía que llevarlo siempre conmigo. En las estaciones de metro me ponía a elegir pies ajenos como si fuesen moras. Las ratas también vivían ahí abajo. Julian decía que estaba bien tener el apartamento en una planta alta porque así no llegaban las cucarachas. Pero todos los días había que bajar para formar parte de las cosas.

Desde su casa, a medio camino montaña arriba, veía rascacielos semejantes a piezas de ordenador dentadas, árboles nocivos (virescentes, no verdes) y cuadrados nivelados para pistas de tenis. Miraba por la ventana y me decía: es bastante razonable considerar estresante que toda mi vida gire en torno a alguien a quien no le importo demasiado. Es una experiencia permisible.

* * *

Pese a odiar mi trabajo y a quejarme de él a menudo, no lo había dejado todavía. Julian me dijo que me relajase. Yo le aclaré que le devolvería todo el alquiler que le debía y me respondió que no me preocupase. Me iría mejor ahorrar para la entrada de una hipoteca. Él mismo seguía con intención de hacerlo.

—Bueno, esto es una opinión mía personal —le dije—, pero quizá te ayudaría aceptar dinero cuando alguien te lo ofrece.

—Si quieres pagarme un alquiler, tú misma.

Entre frase y frase, Julian tecleaba en el portátil. Hablar conmigo le exigía tan poco que se habría aburrido si le hubiese dedicado toda su atención. Yo lo detestaba, eso ya lo sabía (entre otras cosas, porque era muy consciente de que si Julian me decía que saltara de un puente le contestaría: ¿del Golden Gate o del puente de Sídney?), y me empezaba a preguntar si no lo odiaba además.

—¿Pasa algo, Ava?

—¿Quieres que dependa de ti, para así tener más poder en la relación?

—Que yo sepa nadie tiene poder en esta relación. Cualquiera de los dos puede abandonarla con toda tranquilidad. Tampoco es que sea como estar entre rejas, ¿no?

—Yo no puedo abandonarla con toda tranquilidad. Necesitaría encontrar un sitio donde vivir.

—Supongo.

No supe distinguir si iba de farol haciendo como que no le importaba que me marchase. El hecho de que pudiera tirarse un farol plausible ya era malo de por sí. ¿Quién iba a creerme a mí si decía que me daba igual vivir en su piso que en un Airbnb de mala muerte? Sí, diría, me es por completo indiferente invertir la mayoría de mis ingresos en alquilar una habitación diminuta con gente que me odia. Es algo bastante subjetivo. Está la opción de tener toallas suaves y cenas de cinco tenedores, o la de tener que mirar el alféizar de la ventana todas las mañanas para ver cuántas cucarachas se han muerto allí durante la noche. Es una cosa u otra, y sobre gustos no hay nada escrito.

Le dije que no siempre se mostraba agradable conmigo. Me pidió que le diese un ejemplo al menos. Le expliqué que me refería precisamente a ese tipo de reacciones.

—Tú tampoco es que seas san Francisco de Asís —me dijo.

—Podrías mirarme a la cara cuando me dices ese tipo de cosas.

—No quiero discutir.

—No sería una discusión si me mirases.

—Déjalo ya, Ava.

—No puedes decir eso y esperar que no te responda.

—He dicho que no eres san Francisco de Asís, y de alguna manera has conseguido buscarle el punto polémico a esa afirmación.

—¿Por qué eres tan condescendiente?

—Hay gente que se presta a ello.

Me acerqué a la estantería de los libros y toqué las grietas de los lomos. Evidenciaban los puntos en los que Julian se había entretenido, corroborados sin ninguna duda por huellas. Me pregunté en qué partes del piso habría dejado yo mi ADN. En su portátil no, porque era una cosa importante, pero en todo lo que había en la cocina, y en su ropa, por plancharla, y en la alfombra de su dormitorio, por arrodillarme en ella. Hombres. Mis células estaban también en los libros, pero solo por limpiar. Nunca había leído a los autores a los que Julian admiraba. Se reiría si lo intentase. Probablemente se reía por dentro cada vez que yo decía algo.

—¿Te importaría ir a otro sitio a enfurruñarte? —me dijo—. Mañana tengo una presentación.

—También es mi casa.

—Supongo que mis tarjetas de crédito también son tuyas, dado que tu definición de propiedad se basa en usar algo y no pagarme por ello.

—Te pagaré un alquiler. Quiero pagarte un alquiler.

—No sé qué es lo que quieres.

Nos pasamos seis días sin hablarnos. No salía de mi habitación con tal de evitarlo, lo que suponía que no podía comer y que tenía que beber agua del lavabo de mi baño. Tardaron en ingresarme el sueldo. Vivir gratis en el piso me había permitido apartar algún dinero, pero mi idea era tenerlo como fondo para emergencias, así que me daba miedo usarlo. Pese a todo, lo desperdiciaba con un rigor mecánico: me compraba un café tras otro y anotaba hasta el último céntimo lo que habían costado. Aparentemente, aquel era el futuro para el que había estado ahorrando.

También iba a centros comerciales, como diciendo: este se cree muy listo con eso de comprarme cosas, cuando en realidad yo misma puedo comprarme las cosas. En Topshop me probé unas prendas sintéticas y deslucidas y pensé: esta ropa es tan horrorosa como necesaria. Me acordé de cuando robaba de adolescente. Me llenaba los bolsillos, me iba a casa, dejaba los bienes sobre la cama y pensaba: ¿por qué me arriesgo a tener antecedentes por un pintalabios morado? Le sienta fatal a mi cutis.

Mi madre me mandó un mensaje para preguntarme cómo estaba. Escribí: estoy muy triste. La función de autocompletar me ofreció tres emoticonos negativos distintos. Le di a uno y sustituí la palabra «triste» por una carita de pena. A continuación eliminé el borrador y le mandé un mensaje diciendo que estaba genial.

El séptimo día, le pedí perdón a Julian. Me dijo que no pasaba nada.

14

Miré páginas de pisos compartidos. A finales de enero fui a ver algunos. Una habitación, por la mitad de mi sueldo, era la sala de estar, y no una independiente: el espacio al que accedías al abrir la puerta principal. Los del piso me explicaron que el alquiler era tan bajo porque entendían que aquella disposición podía comprometer mi privacidad, aunque me aclararon que había una cortina para correrla alrededor de la cama por las noches. Me enseñaron cómo se hacía. Me parecía que el mecanismo no era la principal objeción, pero probé con el mejor de los ánimos. Dos horas después, me mandaron un mensaje para decirme que la chica que había ido antes se quedaba la habitación: lo sentimos, el mercado se mueve rápido.

Pensé en Emily y en Freya, y en mi boca pastosa por las mañanas, cuando no podía lavarme los dientes. Y en el olor de mi antigua habitación: la colada húmeda, y algo portentoso que salía de las grietas de las paredes. A veces, mientras me quedaba en la cama para esconderme de mis compañeras de piso, miraba fijamente esas fallas hasta que empezaban a expandirse. Veía las paredes desplomarse y oía los gritos.

Unos días después de pedirle perdón, cuando era muy tarde y estaba muy oscuro, Julian me dijo que se había sentido solo antes de que me fuese a vivir con él. No siempre le apetecía beber y no había mucho más que a sus amigos les gustase hacer. Además, en grupo no podían mantenerse conversaciones de verdad. Le gustaba tener a alguien en casa.

—Una pena que seas tú —añadió.

Tenía que hacerlo, pensé.

* * *

Mis niños de ocho años ya dominaban las preposiciones y habían pasado a las partículas interrogativas. Nos pusimos a recitarlas de carrerilla: «who what when where why». La mayoría de los ingleses pronunciaban «what» como «wot», aunque los escritores solo escribían «wot» cuando los personajes eran pobres. Yo a veces decía «wot», pero con mis padres lo pronunciaba igual que ellos: «hwot». Esa había sido la manera correcta de decirlo cuando Churchill la usaba, pero como Cameron no lo decía así se había convertido en rancia. Incluso la reina había dejado de aspirar la hache inicial, sin ninguna duda a instancias de algún lastimero asesor de relaciones públicas. El inglés irlandés seguía conservando las cosas después de que los británicos las hubiesen abandonado. Cosas, «things», que no podían pronunciarse «tings» porque era incorrecto; tenías que soltar aire y decir «cings». Eso sí, soltar aire para pronunciar «what» se consideraba peculiar. Si los irlandeses no soplábamos y los ingleses sí, ellos tenían razón, pero si nosotros soplábamos y los ingleses no, seguían teniéndola. Los ingleses nos enseñaron inglés para enseñarnos que tenían razón.

Y yo estaba enseñándoles a mis alumnos lo mismo sobre la gente blanca. Si yo decía algo de una manera y su niñera filipina, que trabajaba de interna, lo decía de otra, debían seguir mi criterio. La madre de Francie Suen me dio una vez las gracias por mi hora semanal de clases. Sonreí, acepté los elogios y en ningún momento le pregunté si no debía reconocer también el mérito de la asistenta que hablaba inglés con Francie a diario. Por los anuncios de trabajo en los foros de expatriados, calculaba que esa mujer ganaría una cuarta parte de mi salario. En una publicación de un foro, alguien preguntaba cómo debían referirse los niños a sus asistentas. El padre en cuestión sabía que era frecuente usar «tía», pero le preocupaba que, si llamaban así a la asistenta y luego la echaban, el niño creyese que también se podía despedir a otros miembros de la familia.

Era ilegal que las asistentas pasaran sus días libres en las casas. De ese modo, el Gobierno se aseguraba de que les diesen descansos de verdad. Las asistentas no tenían dinero para quedarse en otros sitios, bajo techo, así que se acoplaban en cajas de cartón en parques y pasadizos.

Los padres les sacaban dieciséis horas al día a sus asistentas y luego se quejaban si yo empezaba mis clases tres minutos tarde. Cuando Joan me acusó de estar robándoles tiempo, pensé: sí, lo mismo que hacen los jefes.

* * *

En Instagram la gente publicaba frases sobre relaciones. Las acompañaban de paisajes y fotos turísticas. En letras mayúsculas blancas, junto a una cabra salvaje: «PERSIGUE SUEÑOS,

NO A PERSONAS». Sobre el Kremlin: «QUIERO UN HOMBRE QUE ME BESE COMO SI FUESE OXÍGENO».

Desde la pelea, hacía balance de todos los actos de Julian que me generaban felicidad. Si se reía con una de mis bromas, yo anotaba: reconoce que soy capaz de usar la ironía. Creía, de manera irracional porque yo de especial no tenía nada, que él era la única persona que me iba a entender en la vida.

—Qué pálida eres —me dijo.

—Lo siento.

—Era un cumplido.

—Lo siento.

Me preguntaba si alguien me había apreciado en Dublín. Mi madre, Tom, podría decirse que mi padre. En la universidad, la gente apreciaba de mí que supiera liar cigarrillos (aunque no fumase) y que no interrumpiese cuando alguien hablaba sobre *La broma infinita*. Cierto era que no lo hacía porque no lo había leído, aunque los demás tampoco. Había pensado en leerlo, pero me daba la sensación de que si lo hacía a todo el mundo le sentaría fatal. Los hombres allí decían que les gustaban las mujeres que no llevaban maquillaje con el mismo tono de voz que usaban hombres menos ilustrados para decir que les gustaban las mujeres que sí lo llevaban, y cuando no te maquillabas te preguntaban si habías estado enferma. Se lamentaban de no tener «permiso para escribir». Y tú tenías que asentir, como diciendo: vaya con los permisos.

Al menos Julian era sincero. Nunca había experimentado otra cosa que el permiso. Yo lo odiaba por eso, pero a pesar de todo me encantaba que fuera consciente de ello. La mayoría de los hombres con permiso nunca entendían que lo tenían.

Cuando a Julian se le hacía tarde en el trabajo, le mandaba un mensaje: me aburro quiero follar. Me llamaba para decirme que estaba ocupado. Le gustaba llamar y decir que estaba ocupado.

—Estoy ocupado. Y tienes el umbral del aburrimiento muy bajo.

—Esa objeción no dice mucho de tu confianza sexual.

—Creía que la confianza sexual en los hombres te parecía repulsiva.

—No, tú me contaste que tu ex anarquista de Oxford pensaba eso y que sospechabas que yo estaba de acuerdo.

—Charlie. Estaba buena.

—Ya. Encontré su perfil.

—Lo hacía por delante y por detrás, por si te interesa saberlo. En fin, que estoy ocupado.

—Y yo aburrida.

Después de que Julian llegara a casa y me follase, yo me iba a mi habitación y volvía a repasar la fantasía de cenar con su madre y pronunciar mal palabras para silenciarla y que no pudiese decirlas ella. Me recorría todos los lavabos abriendo los grifos, esperaba y luego la observaba levantar muy poco a poco los pies.

15

Febrero

—¿Pasa algo raro? —me dijo mi madre por teléfono.

En realidad no lo pronunció tan claramente, por su acento, pero en mi opinión, si un británico podía saltarse un montón de sílabas y decir «glosster» como pronunciación de «Gloucester», mi madre se merecía una flexibilidad similar.

Me contó que George tenía novia nueva.

—Lleva el pelo moreno por arriba y naranja por abajo. ¿Cómo se llama eso?

—*Ombré.*

—Hombre —repitió diligente—. ¿Y el muchacho qué?

—¿Qué muchacho?

—Tom me lo ha contado. El muchacho del banco.

—Está bien. No es nada serio.

—¿Y entonces trabaja para un banco?

Le dije que sí, que era lo que solían hacer los banqueros.

—Qué buen niño. Ya sabes: dime con quién andas y te diré quién eres.

—Pues si a estas alturas el año que viene no me ha crecido una corbata en el cuello es que la relación habrá sido un fracaso.

—Qué cosas más graciosas dices. —Eso era muy distinto a decirme que le parecía graciosa—. ¿Y cuándo vamos a conocer al muchacho del banco?

—Mejor no ir demasiado rápido. Oye, mamá, ¿te he contado que trabaja en un banco?

—Bueno, anda, te dejo. Dale al banquero un saludo de mi parte.

—Adiós, mamá. —Mientras me respondía para despedirse, la interrumpí—: Un momento, mamá, que casi se me olvida decírtelo: que es banquero.

Me colgó.

* * *

Era 2 de febrero, el cumpleaños de Julian. Salió a tomar algo con unos amigos. Me dijo que lo acompañase si quería, pero que probablemente no me lo iba a pasar bien, y yo decidí que eso significaba que en realidad no quería que fuese. Cuando volvió olía a tabaco. Me pregunté si los cigarros chinos baratos eran para animarlo a él a dejar de fumar o a mí a dejarlo a él, y por qué ninguna de las dos estrategias estaba funcionando. Le preparé un té y le regalé una corbata de Ferragamo con un dibujo de cachorros de tigre. Era una elección apropiada porque él era un hombre y los hombres llevan corbata y también, pensé, porque hacía referencia a una cosa que me había dicho en la cama. Aun así me preocupaba. Igual que con la cartera, quizá Julian lo interpretase como que yo creía que cuando él me compraba cosas lo hacía por intimidad.

—He pensado que deberías tener algo —le dije.

Con mi formulación elidía que era yo la que se lo daba.

—No deberías gastarte dinero en mí —me contestó.

La palabra «gracias» existía para la mayoría de los hablantes, incluidos los críos a los que yo daba clase. Julian me la había oído decir lo bastante a menudo para haberse familiarizado con su uso.

Luego le pregunté si había cosas que aspirase a conseguir antes de cumplir treinta.

—No. Acabo de llegar a vicepresidente y el siguiente escalafón es ser director ejecutivo, un cargo que no van a darme. Tampoco me voy a quedar aquí siempre, así que no tiene sentido comprarme un piso. De todos modos, no podría permitírmelo.

Le pregunté si había algo más. Me dijo que no. No lo veía como un umbral.

Vale. No indagué más en si, por ejemplo, nos veía todavía juntos o si, por ejemplo, alguna vez se había enamorado de alguien. En realidad era gracioso que tuviésemos relaciones sexuales. Él era atractivo y seguro, mientras que yo estaba dispuesta a centrar mi vida emocional en torno a alguien que me trataba como a su reposabrazos favorito; y pese a todo, ahí estábamos, follando. Tenía gracia, las elecciones que hacíamos. Había gente en el mundo con la que Julian no quería tener sexo. Eso significaba que me valoraba por encima de esas personas en al menos una aptitud, un error de cálculo hilarante, dado que yo en realidad era el peor ser humano en cualquier eje concebible. Y, de hecho, que follásemos y punto era incluso más gracioso que si Julian hubiese sentido algo por mí. Yo daba la suficiente lástima para resultar emocionalmente entrañable, pero había que ser un auténtico depravado para mirarme y pensar, tal cual: quiero intercambiar fluidos con ella. En resumen, no quería que estuviese enamorado de mí. Me estaba divirtiendo demasiado para eso.

* * *

A Benny no le encandiló nada mi grosería posnavideña. Le gustaba recordarme que la exigencia de usar un «inglés estándar» venía de los propios padres. A veces, cuando me pagaba, yo le hacía comentarios sobre los materiales de enseñanza. Las ilustraciones mostraban a niños blancos desafiando unas condiciones climáticas que nunca se darían cerca del ecuador. Tachábamos de error cualquier uso del idioma que pudiera apuntar a que un hongkonés era de Hong Kong.

Mientras le decía ese tipo de cosas, Benny escribía en el móvil. Pulsaba las letras despacio; se veía a sí mismo como la clase de persona que estaba por encima de fingir escribir mientras alguien le habla, pero disfrutaba de alargar la redacción de un mensaje real hasta que quien fuera hubiese terminado. A veces llevaba una gorra de Nike y otras de Disneyland París.

Por fin, Benny se pronunció.

—¿Puede considerarse racista, cuando mi empresa de Connemara vende algas a los irlandeses? —Aquella pregunta no me aclaraba del todo las cosas—. Los padres pagan.

Y se puso a escribir de nuevo en el móvil.

En la pausa del almuerzo le mandé un mensaje a Julian. Extrañamente, me envió una respuesta larga. Me decía que quizá (un quizá muy remoto, pero quizá) Benny se refiriese a que pensar que los hongkoneses no sabían lo que de verdad les interesaba, en un mundo en el que, nos gustase o no, los niños salían adelante usando un inglés «estándar», era una típica actitud de «hombre blanco salvador». Los padres no podían cambiar la sociedad, así que aspiraban a que las desigualdades de esa sociedad perjudicasen a los hijos de otros en vez de a los suyos. La madre de Julian había tomado esa decisión cuando lo había enviado a un colegio privado, y la mía había hecho lo propio cuando me había aconsejado abandonar mi acento irlandés.

Normalmente Julian me sorprendía cuando tenía salidas como esas. Una cosa que admiraba de él era que supiera indicar con toda tranquilidad en qué puntos se beneficiaba de las injusticias, y no de un modo indulgente como hacía yo a menudo, sino de manera objetiva.

Tenía mis dudas de que hubiese sido así siempre. Gracias a mi debida diligencia en las redes sociales, había descubierto que en Oxford Julian escribía poesía. Vi una foto suya remando en una piragua del Balliol, lo que me sirvió para tener la certeza de que no se habría acercado a mí con veinte años y que le habían empezado a gustar las mujeres raras como consecuencia de lo aburrido de su trabajo. Durante un rato me deleité pensando en que todas habían sido normales menos yo, que yo era la única persona extraña que lo había fascinado tanto y que solo yo acariciaba todos y cada uno de los contornos de su mente. Entonces encontré a su novia del último curso, la vi haciendo un recital poético improvisado con su jersey negro corto de cuello vuelto y su vientre firme con un puñetero pendiente en el ombligo, cómo no, y lo odié todo.

Reflexioné sobre si Julian consideraría un éxito o un fracaso haber renunciado a los versos y a las piraguas, pero sabía que si le preguntaba me soltaría alguna julianada, del tipo de que él no perdía el tiempo pensando en su vida.

* * *

—¿Soy interesante? —le pregunté un sábado por la noche.

Acabábamos de volver de estar con sus amigos.

—En potencia. Eres una holgazana. A alguna gente eso le parece interesante.

—¿Y a ti?

—No.

—Entonces ¿por qué te gusto?

—¿Quién dice que me gustes?

Gotas de lluvia atolondradas golpeaban la ventana como patas de pájaros. Julian estaba en penumbra: podía ser cualquier otra persona y yo no me enteraría, lo que significaba que yo también podía ser cualquiera. Siempre se ponía en mi lugar. O le parecía bien que yo me pusiera en el suyo, y eso estaba casi igual de bien. Me planteé besarlo y soltar algo sarcástico al respecto, pero me pareció que el humor no fluiría.

—¿Conocerme ha cambiado algo para ti? —le dije.

¿En qué sentido?

—¿Te sientes distinto por dentro?

—Supongo que me conforta tenerte.

—¿Cuánto tardaste en darte cuenta de que te interesaba?

—Estéticamente, desde el primer momento. Si es eso lo que me estás preguntando.

—Yo me tiré siglos sin saber qué pensabas.

—¿Y tú?

—¿Que cuándo me di cuenta? Desde el primer momento. Estéticamente.

Noté cierto potencial ahí para unos golpes similares a los reveses que nos habíamos dado por cuenta del encantador Seb. Con unas pocas palabras, los dos podríamos llegar a pensar que la persona que teníamos al lado había saltado cada vez que le había vibrado el teléfono y que al final nos habíamos decidido a dejarnos atrapar. Ninguno de los dos perdía nada por permitir que al otro se le metiera eso en la cabeza. Y los dos ganábamos mucho por tenerlo metido cada uno en la suya. Era casi una relación colaborativa, bastante próxima a una relación sin más. Pero yo estaba cansada.

—La primera vez que te vi pensé que sabrías dónde conseguirlo todo más barato —le dije.

—Vaya primera impresión más horrible.

—Lo sé. Eso fue cuando aún creía que a los banqueros se les daba bien el dinero.

—Brutal. Y justo.

—Aunque tampoco le di muchas vueltas. Cuando te conocí.

—Yo tampoco puedo decir que aquello marcase un antes y un después en mi vida. Sentí curiosidad. Me di cuenta de que esa curiosidad probablemente sobreviviese a aquel encuentro, así que te pedí que quedáramos para almorzar.

Quise que siguiera hablando.

Porque estaba enamorada de él. En potencia. Eso, o quería ser él, o me gustaba ser alguien a quien él asignase tareas. No había tenido ningún espacio habitable en Hong Kong hasta que lo conocí, así que seguramente solo me encantaba pensar en silencio y respirar aire puro, si esa distinción podía sostenerse cuando lo hacía en su apartamento.

—Julian, ¿nosotros qué somos? —le pregunté.

—Joder, a saber.

—Joder, sí.

—Tu entusiasmo por la vida es contagioso.

—Da igual, tú eres inmune.

Estábamos haciendo lo que hacían Miles y él: representar escenas. Julian actuaba así con todo el mundo: improvisaba hasta que decidía qué dinámica adoptar con cada cual y luego la mantenía como si le fuese la vida en ello.

—¿Estás enamorado de mí?

Lo que me dijo a continuación no me hizo daño. Fue exactamente lo que yo había estado buscando para cortar la excrecencia de raíz.

—Me gustas mucho. Venga, vámonos a dormir.

16

A esas alturas me había dado cuenta de que tenía una fantasía recurrente y estúpida en la que Julian decía que estaba enamorado de mí. No lo hacía esperando que yo le respondiese lo mismo. Solo necesitaba soltarlo y en cuanto lo había dicho se quedaba satisfecho. Fue injusto plantearle esa pregunta; no era nada coherente con lo que yo aseguraba querer de él, ni tampoco era algo con alguna probabilidad de darse en Julian. Al fin y al cabo, me había contado que terminó con Kat en parte porque ella lo avasallaba con cosas como «te quiero». Yo, sin embargo, era razonable.

Me había fijado en que Julian utilizaba la pasiva con sujeto indefinido siempre que hablaba sobre su ruptura («Con Kat se acabó»), una forma muy pobre estilísticamente hablando.

* * *

La semana después del cumpleaños de Julian, uno de sus amigos de Oxford organizó una cena en su piso ecológico de planta abierta y varios niveles. Cuantos más calificativos se usaban para describir un piso, más caro era el alquiler. Julian me colocó en el sofá grande de piel y se fue a mezclarse con la gente, sin mí. No planificó conscientemente esa serie de actos, pero yo allí no conocía a nadie apenas, así que ese fue el resultado.

Su encantador amigo y abogado Seb se acercó y se sentó conmigo. Llevaba la corbata desanudada y colocada en el cuello, como si le hubiese costado salir de una reunión pero lo fuesen a necesitar de vuelta en cualquier momento. Tenía el pelo desaliñado, lo que daba la inquietante impresión simultánea de que además acababa de echar un polvo. Mientras hablábamos, me acordé de la conversación sobre el «encantador Seb» y tuve que recordarme a mí misma que Seb no estaba al tanto de esa broma.

Le pregunté por el trabajo.

—Ocupado —me dijo.

Entonces le pregunté cómo había entrado en su empresa. Me contó que había terminado la universidad sin saber qué hacer y pensó que el derecho lo haría feliz y solvente.

—¿Y es así? —le dije.

—Me mantiene solvente.

La compostura de Seb y la de Julian eran muy distintas. La de Julian nacía de una confianza ecuánime en que la mayoría de las cosas le pasaban bastante inadvertidas. Seb tenía un porte más activo. Todas sus frases sonaban a decisión tomada.

Mientras Seb hablaba, empecé a planificar cómo sería el sexo con él. «Planificar» llamaba yo a imaginarme cómo me follaría a alguien con quien no tenía ninguna intención de follar. En mi opinión, había que estar preparada. En el caso de Seb, me pasaría un montón de tiempo con la mano cerca de la hebilla de su cinturón hasta ver si me daba un empujoncito hacia abajo para que le tocase o hacia arriba para que se lo desabrochase. Julian a veces hacía una cosa y otras veces la otra. Que nadie diga que los hombres no son seres complejos.

Seb no paraba de rellenarme la copa. Le dije que ya estaba bien, de verdad.

—¿Tienes miedo de acabar con la cara colorada? —me preguntó—. Es hereditario. Les pasa a todos los irlandeses. Venga, una más.

Los amiguitos pijos de Julian solían empezar resultando muy atractivos, pero iban decayendo conforme hablaban.

Un hombre con una camisa ridícula llamó a Seb para que fuese a contarles aquella vez que trepó por el muro del Magdalen College porque los bedeles habían cerrado las puertas. Al marcharse Seb, Julian se acercó donde yo estaba, y eso me hizo sonreír. Seguro que había estado observándonos. Deseé que me diera un beso, o que al menos me agarrara del brazo, pero lo conocía bien para saber que no caería en eso. Él no «marcaba su territorio», habría preferido la muerte antes que usar esa expresión sin comillas, habría explicado su no marcación del territorio haciendo referencias al feminismo, y habría pensado aunque sin decirlo tan de viva voz que estaba por encima de esas escenitas propias de neandertales.

Me quitó la copa, me dio un pañuelo (insinuando así que se me había corrido el pintalabios) y miró en dirección a Seb.

—A Jane no le gustaría nada —dijo.

Y ya está.

—¿Cómo de juntos están?

—Mucho.

—¿Y qué pasa contigo? ¿Te importaría a ti?

Me miró con una mezcla de preocupación y escarnio, como si le acabase de preguntar en qué país estábamos.

—No le aceptes coca —me dijo.

Disminuimos en número. Subí al baño y me retoqué el maquillaje; me quedé mirándome la cara fijamente hasta que me pareció la de otra persona. A Jane «no le gustaría» y eso me hacía feliz. Solo había visto a Jane una vez, pero era como una Victoria más: daba la sensación de que otra persona se lo planchaba todo (desde siempre) y su función era crear arrugas nuevas.

Cuando salí, quedaban una docena de invitados en la planta abierta de abajo. Iba a unirme a ellos y entonces oí unas voces graves procedentes de la galería de delante: Julian, Seb, Ralph.

—¿Dónde está la Galway Girl? —preguntó Seb refiriéndose a mí.

Julian dijo que no lo sabía.

Estaban colocados de cara a la barandilla, de espaldas a mí, mirando hacia abajo al resto de la concurrencia. Retrocedí de puntillas y me quedé apoyada contra la pared.

En la planta inferior, la lista de reproducción saltó a Duke Ellington, «Blood Count».

—Menudo acento que tiene —siguió Seb—. Como una gitana yendo a clases de elocución.

Ralph se echó a reír. Julian no. Desde el atrio, las trompetas titubeaban como un jurado. Cuando el silencio se hizo obvio, Ralph, en medio, miró a los otros dos, que seguían quietos.

Por fin, Julian habló:

—Creo que ya vas bien servido, amigo, que estás difamando a la etnia equivocada.

Seb le dio un codazo a Ralph.

—Deberías haberla visto cuando le he dicho que los irlandeses tienen las caras coloradas.

Julian se echó la mano al bolsillo y entonces pareció recordar que no podía fumar en espacios interiores. Seb inspeccionó la fiesta. Ralph se interesó por mirarse el reloj.

—¿Nos metemos con los polacos ya que estamos? —dijo Julian.

—Mi madre es polaca —respondió Seb.

—¿En serio? —dijo Julian.

—Y votó sí al Brexit.

—Correcto.

—Mucha gente de Polonia votó sí.

—Correcto.

—Y de Irlanda —insistió Seb.

—¿También es de Irlanda tu madre?

—Que gente de Irlanda votó sí al Brexit. Mi madre es polaca.

—Pero ¿cómo iban a votar los irlandeses que sí al Brexit?

Ralph tosió.

—La madre de Seb no puede ser polaca o a estas alturas Julian ya se la habría beneficiado —dijo.

Sin duda, en su cabeza Ralph había dividido con astucia su lealtad al alegar que Julian se acostaba con personas no británicas y que la madre de Seb se acostaba con cualquiera. Sus compatriotas no parecieron verlo así.

—Mejor dejamos a Agnieszka fuera del tema —dijo Seb.

—No hay palabras para expresar lo feliz que me hace dejar a Agnieszka fuera del tema —replicó Julian.

—Me parece especioso.

—¿Especioso el qué?

—Follarse a una irlandesa y luego decir que no soy capaz de aguantar el alcohol.

Julian asintió y seguidamente dijo con cierta solemnidad:

—Ya entiendo la hipocresía.

—Disculpe el señorito si le he ofendido en algo, pero se ve a kilómetros que esa se ha criado en una casa pequeña —replicó Seb.

Julian se enderezó. Seb hizo lo propio.

—¿Y en qué lo ves? —preguntó Ralph.

—Considero que Julian tiene más autoridad. En esta materia —respondió Seb.

—¿Qué materia?

—La de las mujeres de casas pequeñas.

Silencio.

—¿Y qué es lo que dicen? —quiso saber Ralph.

—¿De las mujeres de casas pequeñas? —dijo Seb.

—Sí.

Seb hizo una pausa para elegir el momento. Y siguió:

—Casa pequeña, garganta profunda.

Ralph se echó a reír. El saxo se agitó de forma magistral. Julian no dijo nada.

Entonces, Seb inclinó la cabeza como si moviese cosas con ella.

—Reconozco el atractivo —dijo—, dado que en realidad no estás con ella.

Abajo tintinearon unos vasos. La batería retumbaba como un martillo.

Julian no dijo nada.

Julian cambió de tema.

17

A mediados de febrero, Julian me dijo que iba a pasar unos cuantos meses en Londres. Quise preguntarle qué significaba «unos cuantos», pero decidí no darle esa satisfacción.

Estábamos en la zona del Central Pier. Yo llevaba una gabardina con el cinturón atado en un lazo. Él me informaba sobre la logística con una mano puesta en mi cintura y me dije: envuelta para regalo.

Entonces miré al agua, pensando: las acciones bursátiles flotan, sí, pero los banqueros no sé. Era la primera vez que me imaginaba explícitamente su muerte y me pregunté si él habría pensado en la mía o si sería igual de contenido en ese aspecto como en el de estoy enamorado de ti. No quería que Julian fantaseara con matarme (a no ser que yo lo hiciese), pero que me encontrase en un lago podría ser muy emotivo. No todas las mujeres se planteaban en tono distraído si sus parejas querrían asesinarlas y si la perspectiva sería atractiva, y si lo hacían era la sociedad la que estaba enferma, no ellas.

—¿Nos vamos? —me dijo.

Sonreí y le di las gracias por dejar que me quedase en su piso mientras estaba fuera. Cuando llegamos a casa, me fui a mi habitación y me eché a llorar.

Al día siguiente, en el trabajo, les enseñé a mis niños de once años a escribir cartas de reclamación. Nada de coloquialismos, les dije. Estaban emocionados por empezar a airear quejas.

—Seguiremos en contacto, claro —me había dicho.

En una carta de reclamación decías lo que querías que se hiciese y ponías una fecha límite para ello. Un niño de once años nunca escribiría una carta así. Eran buenas personas. Pero tenían que hacerlo en los exámenes. No evaluábamos si eran capaces de pedirle a su jefe dinero suficiente para sobrevivir; eso sí, si al camarero se le olvidaba su *macchiato*, necesitaban un nivel de inglés excelente para contraatacar.

Aquella noche, en casa, le conté a Julian lo de las cartas. Le pregunté por qué enseñábamos a los niños a verse a sí mismos como clientes cuando en realidad pasarían muchas más horas de vida produciendo cosas que comprándolas.

—Pregúntale a Miles —me respondió—. Podríais daros un toque mientras yo estoy fuera.

Las personas reales, le dije, no se «daban toques». Hablaban.

—Pues haced eso. Hablad.

Julian, mi amigo banquero, dijo más cosas después de eso. Yo pensé en el agua.

PARTE II
EDITH

18

Marzo

Edith Zhang Mei Ling (nombre inglés: Edith; nombre chino: Mei Ling; apellido: Zhang) era de Hong Kong, pero había estudiado en un internado de Inglaterra y luego en Cambridge. Tenía veintidós años, como yo, y trabajaba en el bufete de abogados de Victoria. Hablando en inglés tenía un acento eclesiástico, elevado, con todos los desniveles propios de una catedral y de la entonación inglesa. «Button», «water», «Tuesday»: cualquier palabra de dos sílabas subía volando para luego bajar como una aguja gótica. Las de tres sílabas se extendían como las varillas de un paraguas: «attaches» se esparcía en «a-tach-iss». Decía mucho «completely» y casi siempre se le caía la «t» de en medio. Aparte del colegio y la universidad, Edith no había visto mucho del Reino Unido.

—Deberías ir a Dublín —le dije.

Le adiviné la intención de matizar que Dublín no estaba en el Reino Unido, recordar que yo ya lo sabía y preguntarse por qué le había dicho eso. Yo también me lo pregunté. Habría sido todo un espectáculo verla caminar por mi calle: postura perfecta, botas holgadas hasta la rodilla, pelo brillante con tirabuzones, bolsito negro colgado de una cadena de plata. Mi padre y George dirían que parecía la pantera de alguna vizcondesa que hubiesen aceptado cuidar a cambio de dinero, sin saber si tenía los dientes afilados.

Llevaba la manicura perfecta, aunque me fijé con interés en que siempre tenía las uñas cortas.

Estábamos a principios de marzo. Hacíamos cola para ver una obra de teatro en la Academy for Performing Arts, un edificio alto de hormigón en Gloucester Road. Alguien de la empresa de Edith tenía entradas de sobra. Edith se lo había dicho a Victoria, que no podía ir, y por eso la invitación pasó a mí. Tuve que hacer de tripas corazón para aceptarla, pero busqué a Edith por internet y su foto de perfil (tomándose un café en Ubud, con el pelo en un moño a la francesa) me terminó de convencer. En su Instagram tenía varios destacados de viajes por Europa. Especulé a partir de ahí que sus nudos del pelo y sus capuchinos mañaneros los había sacado del extranjero, aunque probablemente eso fuese demasiado vulgar para encajar entre las cosas que haría ella de verdad. Era una persona demasiado sofisticada para que yo pudiese hacer ingeniería inversa y adivinar cómo había llegado ahí.

Aparte, Julian llevaba ya dos semanas fuera y yo quería volver a sentirme como una persona.

—¿Te está gustando Hong Kong? —me dijo Edith, como si me hubiese mudado allí una semana antes.

—Es genial.

—No tienes pinta de profesora de inglés para extranjeros.

Eso no debería haberme alegrado, pero lo hizo.

Era unos cuantos centímetros más baja que yo, pero al ponernos juntas teníamos las cinturas al mismo nivel, lo que significaba que sus piernas eran, en proporción, más largas. Resultaba relajante comparar nuestros cuerpos. No se trataba del irritante repaso de evaluación que se hacía de adolescente, sino más bien de vaga curiosidad.

Edith llevaba unos cartones de leche de soja en miniatura en el bolso y me ofreció uno mientras hablaba por teléfono. «Hou ah, hou ah, mou man tai —decía—. M goi sai.»

La obra era de Chéjov, en ruso con sobretítulos en chino y en inglés. Estábamos demasiado cerca del escenario para ver las palabras y las caras de los actores a la vez, así que teníamos que elegir qué seguir. Edith se pasó todo el tiempo atendiendo la bandeja de entrada del correo del trabajo. Se las apañó para hacerlo dejándose el bolso en el regazo como si fuese un perrito faldero y echando ojeadas al interior. Me pregunté si los actores se estarían dando cuenta.

Había un hombre con un monóculo. Otro llevaba perfume y se rociaba con él a cada rato. A las mujeres se las conocía por los vestidos: la de blanco era la ingenua; la de azul marino, la solterona, y la de negro, la esposa. Había vodka y, presuntamente, adulterio. Decidí leer los sobretítulos para poder informar luego a Edith, pero era todo un barullo de Olgas y Mashas y tensión interpersonal catalizada.

Un hombre perdió un duelo. Edith se sobresaltó con los disparos. Ovación final.

—¿Te ha gustado? —me preguntó mientras salíamos.

—De lo que me he enterado, sí.

—Bueno, a mí me ha parecido excepcional. ¿Repetimos alguna otra vez?

Traté de ocultar mi emoción.

* * *

Edith había llegado a mi vida justo cuando quedaba una vacante.

Julian llevaba ya unas cuantas semanas en Londres. Me mandaba mensajes. Yo nunca los leía al momento. A modo de prueba de resistencia, antes hacía una lista con las peores cosas que podría decirme. Cosas como: he vuelto con Kat y nos vamos a casar. Nuestra relación era un elaborado experimento social que ha exprimido ya todo mi interés. Voy a subalquilar el piso y tienes que marcharte. No voy a subalquilar el piso pero tienes que marcharte igualmente.

Una vez que había modelado todas las formas posibles en las que el mensaje podía hacerme daño, me iba a algún sitio tranquilo y lo abría. Entonces veía que no decía nada de lo que me había preocupado y sentía que esa vez me había librado de algo, pero que la próxima no tendría tanta suerte.

En persona, si pasaba por alto un temblor de manos o un titubeo en su sonrisa, ahí quedaba la cosa y no podía volver a repasarlo. Pero por escrito Julian estaba bajo una campana de cristal, donde seguiría hasta que todos mis análisis hubiesen terminado. Por supuesto, él también me tenía bajo otra campana, aunque yo elegía con mucho cuidado mis palabras y sabía que pasarían cualquier escrutinio. En realidad era una pena que tuviésemos cuerpo. Le escribí: echo de menos el sexo contigo pero solo porque tengo cuerpo, si no lo tuviera todo sería más fácil. Él me respondió que, por el contrario, sospechaba que el sexo sin cuerpo plantearía ciertas complicaciones.

Las mañanas de domingo eran sábados para él. Le llegaba la prensa como siempre. Yo lo dejaba todo en la mesita, leía los titulares y me ponía a trastear con mi reloj. Julian se había dejado algunas camisas que todavía no le había planchado. Las arrugas parecían suyas, aunque yo sabía que eran de la lavadora. Veía pelis en su cama. En teoría no había ninguna diferencia con hacerlo en la mía, pero eso me permitía sumergirme más.

A veces, los fines de semana, me llamaba por teléfono, aunque era más frecuente que me mandara mensajes. Igual que a mí, a Julian parecía serle más fácil expresarse tras una pantalla. El sábado, después de mi cita para el teatro con Edith, me escribió:

> Tengo la sensación de q nos despedimos en malos términos. En términos mejorables seguro. Espero q sigas en contacto con Miles, Victoria, Ralph pronunciado Reif y eso. Esto es una locura. El dinosaurio marxista tiene demasiados principios todavía para querer ganar las elecciones, magnífico q los tories hayan convocado unas ahora. Y el Banco de Inglaterra dice q no estamos haciendo lo suficiente para prepararnos por si no hay acuerdo. Entre May agarrando a Damocles por la espada y el resto acumulando latas de alubias, Londres es un oasis de tranquilidad, como siempre. Es interesante cómo ha cambiado el tono del «Recuperar el control» al «Creemos q comida habrá». En fin. Dime si necesitas algo. Perdona q no te diga con seguridad fecha de vuelta. J.

Para un corrector habría sido divertido, se me ocurrió, repasar los mensajes de Julian y cambiar los puntos por signos de exclamación.

No le conté lo de mi velada con Edith. No podía estar molestándolo con cada mínimo detalle.

* * *

A los quince días de conocernos, Edith volvía a tener entradas para el teatro. En esa ocasión me invitó a mí primero, y a la semana siguiente también. No se lo conté a Victoria. Confiaba en que cuanto más lo dejase estar, más rabia le daría. Me gustaba enrabietar a Victoria. Aparte, todo aquello era privado: escuchar los pináculos y agujas de su acento, medir nuestras proporciones, sentir con cada obra de teatro que me iba acercando a ser alguien de quien Edith podría hacerse amiga.

Tras la primera representación, busqué por internet el precio de matrícula de su internado y las tasas para estudiantes internacionales de Cambridge. No me sorprendió nada cuando Edith me contó que sus padres trabajaban en finanzas. En el descanso de la segunda obra, comenté algo de pasada sobre los pijos ingleses y Edith comentó que en Hong Kong no existía el concepto de pijo. Era como en Irlanda: todo el dinero era dinero nuevo. Los ricos eran pijos y los pijos eran ricos. Dado que yo no era ninguna de esas cosas, no estaba segura de por qué eso me parecía un consuelo, pero así era. Ni siquiera había un acento típico de la clase alta, aseguró Edith, aunque había «gente» que consideraba que el cantonés peninsular sonaba mejor.

Cada vez que salíamos, Edith me soltaba un montón de datos. Usaba las manos al hablar y muchas veces el cuerpo entero. Para enseñarme las regiones de China hizo un dibujo en una servilleta. La guardé. Me gustaba su entusiasmo. No recordaba la última vez que había conocido a alguien que se entusiasmara con las cosas.

A cada obra Edith llevaba un bolso distinto. Lo hacía metiendo en todos ellos el mismo neceser repleto de bolsillos, de tal forma que el bolso exterior de cada día era solo una carcasa. Los bolsos de diseño costaban miles de dólares hongkoneses y el neceser quizá fuesen unos cientos solo, y era en este último en el que Edith guardaba de verdad sus cosas. Me resultaba imposible entender a la gente rica. Las llaves de Edith, su tarjeta Octopus y el monedero «vivían» cada uno en un compartimento determinado, de manera que los localizaba rápidamente. Me parecía admirable y traté de incorporarlo a mi vida. Pero yo siempre elegía sitios equivocados en los que dejar «viviendo» a las cosas, olvidaba dónde vivía cada una y nunca era capaz de encontrarlas.

Cuando cerré la escuela con Joan antes de ir a ver la tercera obra, me preguntó qué planes tenía. Le dije: me voy al teatro. La cara de Joan me dijo: claramente te pago demasiado. Y la boca de Joan respondió: pásalo bien.

* * *

Mis días libres eran el domingo y el lunes. En la sala de profesores me quejé ante los demás de que trabajar los sábados estaba acabando con mi vida social, aunque no tenía nada de eso. Y no me importaba. Me gustaba disponer de espacio para pensar. Además, el metro en hora punta me hacía compañía. Me acoplaba bajo la axila de algún hombre, sentía el broche del bolso de una mujer hincárseme en el cuerpo y pensaba: formo parte de algo.

Los fines de semana se hacían más duros. El piso era más ruidoso sin Julian. Los grifos goteaban como la madera sobre la que te tumban durante un ahogamiento simulado y los vecinos de al lado se peleaban. Algunas mañanas no salía de la cama porque si lo hacía tendría que lavarme los dientes y seguidamente cumplir con una serie de actividades que en su conjunto suponían vivir mi vida como la persona que era. Me veía incapaz de suscitar una actitud positiva en torno a la higiene dental o al resto de mi día, así que me decía a mí misma que era una persona repugnante y una vaga y que iba a llegar tarde y me despedirían, y entonces me levantaba. Si hubiese estado enferma de verdad no habría podido sacarle ese provecho al autodesprecio, así que sabía que estaba bien. Y Edith empezaba a convertirse en algo que esperaba con ganas.

19

El domingo después de mi tercera cita teatral con Edith, fui a ver a Miles a su piso en Kennedy Town. Julian me había pedido que lo hiciera. Quería asegurarse de que salía de su casa, sospechaba yo, porque él nunca iba mucho por allí. Pero habría sido muy infantil decirle que sabía cuáles eran sus intenciones.

La estancia principal del piso de Miles estaba pintada de mostaza y llena de muebles que no pegaban nada. Para ser la casa de un académico, no había muchos libros. Por el Kindle que había sobre la mesa supuse que estaría progresando con los tiempos.

Hablamos sobre su universidad y luego hicimos una comparación con donde yo había estudiado. Miles dijo que Julian le había contado que me había graduado con una «media de sobresaliente digna de mención» y me preguntó si no había pensado en meterme en el mundo académico.

—Me parece interesante, sí, pero no sé sobre qué podría investigar.

No acabé de entender si Miles estaba citando o parafraseando ese «digna de mención». Julian a veces usaba con sarcasmo un lenguaje añejo, lo que demostraba que lo que decía iba en serio o no se habría molestado en que sonara a broma. Sin embargo, Miles a lo mejor decía «digno de mención» con toda naturalidad. Mi expediente era un hecho, porque era numérico, y la opinión de Julian no podía cambiar su valor. Pero muchas veces me ponía a pensar en cosas en las que era absurdo pensar.

—¿Y va bien el libro? —le pregunté.

—No, aunque nunca va a ir bien.

Miles me preguntó si me interesaban los sudokus y me dijo que, si así era, tenía un libro de pasatiempos. Jugamos en silencio. Al poco me aburrí y me puse a sacarles punta a los lápices de Miles. Los guardaba en una caja que tenía sobre la mesa.

—Eres una joya —me dijo—. Julian ha sabido ver lo que le conviene.

Era el comentario más explícito con el que Miles se había referido a la relación. Me pareció un timo que mis habilidades en el tallado de minas hubiesen desencadenado ese reconocimiento.

Me planteé entonces si no habría ido allí en realidad para poder añadir texturas a mi cena con Florence, para ver si Miles mencionaba algo sobre el gusto decorativo de su exmujer, por ejemplo. En tal caso, resultaba deprimente. De estar ocurriendo eso, dedicarme a hacer acopio de florituras para las veladas con Florence mientras no hacía nada por mejorar mi situación real, significaría que me importaba más mi vida interior que la tangible. Julian no fantaseaba, y por eso estaba en Londres con un trabajo de verdad mientras yo perdía el tiempo enseñando inglés para extranjeros, si bien Julian leía tanto que a lo mejor sí tenía imaginación y simplemente se le daba mejor controlarla. Nunca sabría si otras personas eran igual de gráficas que yo en sus fantasías aunque todos fingiéramos no serlo. En una ocasión había buscado en Google «en qué piensan los asesinos en serie». Sorprendentemente había pocas coincidencias, pero de todos modos yo ocultaba mis pensamientos. Cuanto más imaginaba cosas, más personales parecían.

—Puede resultar difícil hacer amigos al mudarte aquí —dijo Miles, sacándome de mi reflexión—. Muchos de mis alumnos de intercambio se sienten bastante aislados.

—Yo tengo uno o dos —respondí.

Pensé: uno aquí, uno allí. La palabra «amigo» hacía una labor hercúlea en cuanto a describirnos a Julian y a mí. Y para entonces tenía a otra persona a la que llamar amiga.

* * *

El martes empezó una clase nueva de niños de diez años. Para romper el hielo, les pregunté por qué querían aprender inglés. Se miraron entre sí en una habitación tan pequeña que apenas les daba para retirar las sillas y no parecían estar seguros de que la premisa de la pregunta se sostuviese.

Lydia Tam se presentó y dijo: «Mi nombre chino es...», antes de que otra niña le diese un codazo entre las costillas y le advirtiera de que no podía decirlo en clase. Los motivos que adujeron para estudiar inglés fueron, de mayor a menor frecuencia de aparición: estudios, viajar, ver pelis y hablar conmigo. Esto último lo dijo Denise Chan, un lameculos, aunque a tus alumnos no podías llamarles eso.

Luego salió Fergus Wong, que quería aprender inglés porque todo tenía un nombre inglés además de uno cantonés.

«Estás loco», dijo Denise. Parecía que eso era lo que los hongkoneses de diez años le decían a alguien cuando no entendían a qué se refería.

Odiaba hacer uso de mi autoridad. Los niños lo notaban y reaccionaban mal siempre que intentaba hacerlo. Así que los dejaba hablar y pensaba: Edith Zhang, Zhang Mei Ling, Edith Zhang Mei Ling. Decía las palabras para mí como si estuviese desenvolviendo algo.

20

Abril

Cuando Julian llevaba fuera algo más de un mes, Edith y yo fuimos al Cinema City JP de Paterson Street. La película estaba doblada, mal, al cantonés. Sabíamos lo que iba a pasar antes de los créditos iniciales. A Edith le gustaba eso: los argumentos predecibles eran más fáciles de seguir mientras editaba documentos en su iPad. Nos sentamos lejos de todo el mundo, empezó la peli y su teclado sonaba como el castañeteo de unos dientes. No me contó cuánto le pagaba la empresa, pero yo imaginaba que sería un montón.

A la semana siguiente fuimos a tomar café al barrio de Sheung Wan. En la cola, Edith me dijo que le gustaba cómo me había arreglado el pelo. Me puse muy contenta por un momento, pero justo después le dedicó un cumplido al barista igual de animada.

—Háblame de tu familia —me dijo sentadas a la mesa, como si le fascinase que yo tuviera familia.

Lo hice. A cambio, ella me contó que su padre era de la provincia de Hunan, en la China continental. Su madre era de Singapur. Ella solo se consideraba hongkonesa porque se había criado ahí, y pese a todo había nacido en el extranjero. Su madre se había largado a Toronto para que Edith tuviese pasaporte canadiense, una excursión que la señora Zhang usaba a menudo como baza de influencia maternal. Le recordaba a Edith que se había metido en un avión estando tan embarazada que apenas podía caminar, y sin la compañía del padre, y todo para conseguirle a su hija un documento que algún día le facilitase las cosas para abandonar a su madre.

En defensa del señor Zhang, el hombre tenía previsto estar presente en el nacimiento de Edith, pero perdió el vuelo. La señora Zhang estuvo a punto de ponerle a Edith «Toronto» de nombre para conmemorar la ocasión. El señor Zhang la convenció de que eso sería zafio. La única manera que tenía el señor Zhang de hacer cambiar de opinión a la señora Zhang respecto a algún proceder consistía en convencerla de que era zafio.

—Si con lo que digo parece que tengo una familia tremenda es porque tengo una familia tremenda de verdad —dijo Edith.

En ese momento hacía cuatro semanas que nos conocíamos, aunque parecía más tiempo.

Dijo que le apetecía un dulce y se puso en cola para comprar uno. La observé desde la mesa. A Edith no le gustaba esperar pero sí el orden de las colas. Vi en su expresión de discreta impaciencia que hacía lo posible por reconciliar ambas posturas. Era una persona tan refinada y decidida que cualquier nimia ruptura destacaba mucho: un hilo suelto en la camisa, pequeños mechones de pelo que nacían en la nuca. Antes de conocerla, siempre me había preguntado cuál era el antónimo exacto de zafio, y al fin lo había descubierto: lo opuesto a zafio era Edith. Aquel día, me di cuenta de que no me importaba lo que pensara el resto de la gente. Nos podían echar de aquella cafetería y yo lo consideraría una muestra de que no sabían reconocer la genialidad.

Esa noche, sola en la cama, la busqué por internet. Era abogada en prácticas y su foto aparecía en el sitio web del bufete. Había un vídeo debajo en el que les contaba a los futuros solicitantes de una pasantía que si tuviese que destacar una cosa, solo una, que le encantase del trabajo, sería la gente. Tenía el pelo suelto, con unos rizos que rebotaban cuando movía la barbilla. Asentía con la cabeza ante lo que la entusiasmaba: la cultura, sí, la chispa, sí, el talante, sí, el ímpetu. Así era el derecho mercantil.

Yo envidiaba su convicción y me preguntaba si era porque quería sentirme mejor con mi trabajo.

Entonces eché un vistazo al móvil: Edith acababa de seguirme en Instagram. Cuando seguías tú primero a alguien, sabías que esa persona haría clic en tu nombre para ver si debía seguirte. Y, por supuesto, yo me puse a mirarle las fotos cuando hice lo propio. Nadie me obligaba estrictamente a seguir bajando por su perfil ni a pasar la pantalla para ver las fotos en las que estaba etiquetada, pero era lo esperable.

* * *

Al día siguiente, Victoria me sondeó en busca de información sobre Julian en un salón de té francés con tapicería a rayas. No paraba de tocar con el pulgar el material acolchado de su bolso de Chanel, cuadrados enhebrados en hileras penitentes, y de indagar. Preguntas. Sabía que le interesaba Julian desde que ella misma me lo había dicho estando borracha, pero no pude calibrar si la Victoria sobria se daba cuenta de lo transparente que era.

Y lo más curioso: le seguí el juego. Quería perlas informativas sobre Edith y Victoria me las dio.

—¿Cómo te ha ido, Ava? —dijo Victoria, enfatizando el auxiliar para que supiera que no le importaba nada.

—Genial —respondí, arrastrando la «n» para recordarle que estaba de lujo, concretamente en el piso de Julian—. Ha pasado mucho tiempo. —Alargando las vocales para dejar claro, en caso de haber sido demasiado sutil, que yo vivía allí y ella no.

—Tienes el pelo precioso —continuó Victoria. Me tocaba cortármelo—. ¿Te lo has cortado?

Victoria iba a la peluquería todos los meses, pero se acordaba amablemente de preguntarlo como si para mí fuese un lujo que me permitiese cada tres años, cuando para ella era un gasto básico; esto último también lo dejaba caer, en cualquier caso, porque teníamos que ser sinceras con esos asuntos.

A las mujeres se les da bien hablar.

La carta, papel de lino. Los tés estaban en francés, inglés y chino, por ese orden. Victoria pidió *thé au citron*. Su ligera mala pronunciación de *citron* me supuso un dilema. Podría pedir lo mismo que ella y decirlo correctamente. Si Victoria hubiese destrozado la palabra no me lo habría planteado, porque habría resultado grosero; sin embargo, una ligera diferencia le escocería sin permitirle sentir que había cometido un error catártico. Mi otra opción era pedir el *lemon tea* y hacerla sentir una ordinaria por haber utilizado el francés directamente. Leería el inglés y le buscaría la mirada: mi nivel de *français* se queda entre Dios y yo.

Luego me quedaba la alternativa de pedir un té distinto, como había previsto hacer antes de que Victoria dijese mal *thé au citron*, aunque eso no tendría gracia.

—*Lemon tea* —dije. Y seguidamente, tras esperar lo justo para que fuese plausible la confusión del camarero, pero no demasiado para que resultara obvio que sí me había entendido—: Perdón, *thé au citron*.

Los hombres no eran lo único que se me daba bien.

El camarero nos trajo el té con paso militar. Victoria me preguntó cuándo volvía Julian. Le dije que no lo sabía. Aunque en condiciones normales no habría admitido tal cosa (habría insinuado que lo sabía pero que solo estaba autorizada a compartir esa información con nuestros amigos más cercanos), quería tener la fiesta en paz para que llegáramos a hablar de Edith.

De ese nivel implícito de comunicación con Julian, Victoria podría deducir que yo tampoco sabía si se estaba acostando con otras personas en Londres, ni en Hong Kong en realidad. El hecho de que Julian estuviese o no con varias mujeres a la vez era en cualquier caso demasiado ambiguo para los intereses de Victoria. Si no lo estaba, quizá eso indicase que era (de entre todas las expresiones imaginables en boca de Julian) hombre de una sola mujer. Si lo estaba, a lo mejor ya tenía el ancho de banda completo, sumando los trajines secundarios y la irlandesa fija. Los retales sueltos sobre Julian sin implicaciones claras no le interesaban a Victoria. En eso era muy seria y formal. Si hubiese podido ofrecerle a Julian dinero por acostarse con ella lo habría hecho, seguro. Y también era seguro que no se habría acercado a él ni con un palo si Julian se lo hubiese aceptado.

Siguiente tema, Edith. Victoria y ella solo eran conocidas. Sin novio, que Victoria supiera. Había regresado a

Hong Kong desde Inglaterra hacía poco más de un año, acababa de terminar el posgrado en derecho y estaba con el contrato de pasantía. Victoria era asociada en el bufete. (Yo no le había preguntado si estaba por encima de Edith en rango, pero pensó que debía informarme.) La mayoría de los amigos de Edith eran del internado, de Cambridge y de la abogacía y, por tanto, a efectos prácticos, tenían dinero. (Victoria no especificó «a efectos prácticos», dado que para ella no era importante si alguien cultivaba un círculo de amistades ricas o simplemente se encontraba de repente en uno, pero lo añadí yo.)

Ninguna de esas noticias era nueva para mí, aunque me gustó escucharlas de todos modos.

Resultaba obvio por qué Victoria quería saber cosas de Julian y mucho menos evidente por qué yo la interrogaba sobre Edith. También Victoria se sorprendería si se parase a pensarlo, pero tenía cerebro de crótalo. No veía con la mirada, sino reproduciendo imágenes de su presa. Percibía a Julian al completo y las partes de mí ligadas a él, y el resto lo obviaba.

De estar interesado en Victoria, Julian sin duda consideraría algo así como que la monogamia era contractual y por tanto el elemento de la infidelidad se reducía a un problema entre Ralph y ella. Según los precedentes, Julian te demostraba su atracción comprándote regalos y siendo involuntariamente grosero con tu pasado, y yo no había visto que hiciese ninguna de esas cosas con ella. En cualquier caso, odié a Victoria, me puse mala de imaginarlos juntos y me dije a mí misma que mi información no aportaba nada para así poder intercambiarla por datos sobre Edith.

Pagamos a medias.

* * *

En inglés hay subjuntivo. Lo aprendí la mañana que tuve que enseñarlo. Sabía que en francés existía y sospechaba que en irlandés también, pero no me había percatado de sus temperamentales huellas dactilares en mi lengua materna.

Resultó que no lo supe antes porque el subjuntivo inglés requería unas formulaciones que yo nunca habría usado. Aparentemente, si tenías dudas sobre si una muchacha te atraía, no decías: «What if I *was* attracted to her». Tenías que cambiar la forma del verbo y decir: «What if I *were*».

El subjuntivo se empleaba para cosas no del todo fácticas. Entonces, si yo lo evitaba, ¿significaba eso que solo decía cosas reales? O, en vista de que no diferenciaba mi imaginario, quizá todo lo que dijera no fuesen más que deseos o sentimientos. Y a lo mejor quedaba como una estúpida por no saber de gramática. Me pregunté si Edith habría estado reprimiendo las ganas de corregirme.

—¿Qué diferencia hay? —preguntó Kenny Chan.

Yo no estaba segura de saberla, así que leí lentamente lo que ponía en el libro y luego lo reformulé hasta que los niños fingieron comprenderlo. Y sin embargo Sybil Fu hizo todos los ejercicios bien. No habría sido así unos meses atrás. Sabía que no tenía nada que ver conmigo y lo tenía todo que ver con el hecho de que sus padres le pagaban, literalmente, por sacar buenas notas, pero aun así me alegré.

* * *

Descubrí que, además de su cuenta principal en Instagram, Edith tenía otra para sus creaciones artísticas. No había ninguna referencia a ella en la cuenta con la que Edith me había seguido, pero su amiga Heidi había etiquetado esa otra cuenta en una publicación de hacía un año. (Heidi había ido al internado con Edith, un dato que era normal que yo supiese porque Edith lo había mencionado en un comentario que me había salido en la pantalla de inicio. Que yo hiciese clic en el nombre de Heidi y repasara todas sus publicaciones no era culpa tan obvia del algoritmo.)

En la cuenta artística, Edith publicaba bocetos a lápiz de edificios. Su estilo áspero, con sombras de líneas cruzadas, me sorprendió, aunque se veía que era ella por los detalles sueltos tan cuidados. Era buena. Fue un alivio. Había encontrado los diarios en los que Julian había escrito poesía en Oxford, pero no indagué más porque me preocupaba comprobar que los poemas fuesen malos y luego tener que seguir viviendo en su apartamento.

La cuenta personal de Edith también era un triunfo estético. Las imágenes tenían tonos fríos y estaban ligeramente difuminadas, lo justo para vidriar un poco la realidad. Sus publicaciones se asemejaban a pistas: aquí hay algo de Edith, y por aquí otro poco, y una Edith entera en algún sitio, más allá de la cuadrícula. Los objetos que aparecían en las fotos me obsesionaban: el reloj chapado en oro de estilo antiguo, la funda marrón de saffiano para el iPhone, la pulsera de jade.

Quería tener su vida. Me preocupaba que eso pudiera poner en peligro nuestra amistad, pero por el momento parecía que la estaba facilitando. Era más rica y más importante que yo y eso me servía para escapar de la sospecha de que, en realidad, yo era inferior a ella en un plano intelectual o moral. Edith respondía al teléfono o escribía algo en el iPad y yo pensaba: todo el mundo quiere tener un trocito de ella, y aquí está, conmigo. Cosa que era una estupidez, porque cuando Julian hacía lo mismo me molestaba con él por no prestarme atención, y a él lo conocía desde hacía más de un mes. Probablemente, yo era una mala persona incapaz de procesar bien mis emociones.

Mi clavícula suponía un consuelo. Por lo demás, me veía grotesca y aun así me repasaba las líneas delante del espejo, pensando: esto es sexi. Esto me gustaría si fuese Edith y si a mí, a Edith, me gustasen las mujeres.

21

Edith y yo quedábamos ya unas cuantas veces por semana, aunque no me hacía una idea de por qué pasaba tiempo conmigo, y mucho menos de por qué le caía bien. Suponía que era interés antropológico. Edith me preguntaba por qué no hacía cosas «y ya». Por qué, me decía, no miraba el tiempo antes de salir de casa «y ya» o usaba una aplicación para esto o aquello «y ya», y le resultaba fascinante cuando le respondía que no se me había ocurrido. No se le escapaba una. Mientras estábamos en un local de *brunch* mencionó el detalle de que a mí no me gustaba el queso y cuando le pregunté que cómo lo sabía me dijo que se lo había contado yo misma hacía unas semanas. A mí nunca se me habría ocurrido admitir que recordaba cosas que la gente me hubiese contado de pasada. Pero sabía que esa cualidad, que a Edith le daba aspecto de persona sincera y organizada, en mí solo habría parecido una señal de que salía poco.

—Tienes que leer las noticias —me dijo mientras tomábamos café—. Ni siquiera podemos elegir a nuestros candidatos, y yo leo las noticias.

Quise contarle que ya sabía eso sobre el Gobierno de Hong Kong, pero entonces recordé que lo sabía porque Julian lo había mencionado la primera vez que quedamos con Miles.

Cuando me vestía o me compraba cosas, intentaba verme a mí misma como si fuera ella. El día antes de una salida para ir al cine, me gasté cuatrocientos dólares hongkoneses en una vela de Jo Malone porque me imaginé encendiéndola con ella en el piso. Iba a quemar para Edith una vela que valía cuatro horas de mi sueldo, o la sexta parte de un día, mientras pensaba: «Las otras cinco partes están ahí también, si las quieres». La vela brillaría en un tono morado en la cara de Edith y sus pómulos se alzarían como pequeñas ondas de arena. Me diría que tengo buen gusto y yo le respondería: no, tú tienes buen gusto. Las dos estaríamos en lo cierto, porque ninguna persona con criterio podría pasar tanto tiempo con otra que no lo tuviese. O lo teníamos las dos o ninguna. Y a mí no me importaba ni una cosa ni la otra.

Eso me hizo darme cuenta de que en realidad me daba igual el refinamiento y solo quería que Edith me apreciase. Al principio me alegré, porque ganarme su aprobación me parecía más asequible que desarrollar estilo. Pero entonces recordé que Edith no era como la mayoría de la gente.

Cada vez me percataba más de cuánta atención prestaba Edith a los detalles. Regresamos de nuevo a Sheung Wan a tomar unos cafés y se sobresaltó cuando sorbí el mío antes de que les hubiese hecho una foto. Entonces, le dio otro repaso a esa naturaleza muerta que tenía delante y dijo: «En realidad, la mancha de carmín es perfecta». Yo ni me había dado cuenta de haberla dejado. Otro día pedimos cruasanes y, mientras yo echaba mano del mío, Edith dijo algo en cantonés y luego lo tradujo («La cámara come primero»). Me sacó una sonrisa. Me gustaba cuando se ponía seria con las cosas, sin remordimientos, incluso aunque fuese por el ángulo de un dulce. Decía que Instagram la obligaba a mirarlo todo más de cerca. Y siempre que se sentía triste, tenía un muro de recuerdos felices a los que volver.

—Sé que es una tontería muy grande —dijo—, pero es divertido.

Intenté imaginar a Julian admitiendo que disfrutaba de algo frívolo, y no pude.

Además, Edith no habría dicho algo así durante el primer mes de conocernos. Sentí que hacía progresos, aunque no estaba segura de hacia dónde. Deseaba poder ver cómo se comportaba como amiga con otras mujeres. Si sabía cómo era normalmente en ese contexto, me sería más fácil distinguir si lo nuestro era distinto.

Nos reíamos mucho en el cine, sobre todo en películas sobre muchachos heteros tristes que necesitaban un arreglo. Las mujeres de las películas enseñaban a los hombres a sentir cosas. Se encontraban con hombres que no sentían nada y los hacían sentir algo. Nunca te enterabas de lo que sentían esas mujeres más allá del: quiero ayudar a este hombre. Yo nunca había conocido a nadie así en la vida real.

Tampoco había conocido nunca a nadie como Edith y agradecía no tener a mucha otra gente que compitiese con ella por mi tiempo. Mi existencia en Hong Kong era pulcra. Había espacio ahí para ella.

Y en mí también había espacio. Pese a sentirme superior a gente como Scott y Madison, en realidad los tres estábamos huecos. Ellos se llenaban con un poco de aprobación de todo el mundo, mientras que yo era más exigente. Cuando conocía a alguien que me caía bien, lo quería todo de esa persona, y rápido.

* * *

Empecé a ir mucho a supermercados, sobre todo al Wellcome y al 7-Eleven. Las paredes estaban empapeladas con publicidad. En las baldosas tendentes a grisáceas había marcas de botas y pelos pegados en restos de barro. Cuando iba a hora punta las colas de las cajas se extendían por los pasillos, y yo me ponía al final de una e iba pillando cosas de las estanterías conforme avanzaba. Si a ese ritmo arrastrado te pasabas sin darte cuenta los fideos, los cereales o lo que fuera, no podías volver atrás o perderías el sitio en la cola. Me gustaba fingir que aquella era la transacción de riesgo más elevado en la que participaba y que mi vida estaba bien enraizada, exceptuando la historia de los supermercados.

Con Julian cerca me había mantenido firme en mi compromiso con las cestas de la compra nutricionalmente sólidas. Al segundo mes de su ausencia, compraba Pockys de chocolate y KitKats de té Matcha. En los paquetes salían ingredientes que no sabía ni pronunciar. Los descifraba dividiéndolos en sílabas como enseñaba a hacer a mis alumnos con los nombres de los dinosaurios.

Los fines de semana que no veía a Edith ni a Miles, el personal de las tiendas era la única gente con la que hablaba. Me arreglaba para ellos. Me pintaba los labios. En el mostrador, una señora mayor con el pelo muy corto se volvió a quien tenía al lado y le dijo: «gweimui ah». En cantonés, la gente blanca éramos fantasmas. En hokkien, según me había contado Edith mientras nos tomábamos un café, éramos cabezas rojas, y en mandarín, «viejos amigos».

—Desde luego, este último término es una manera de ver las relaciones sino-occidentales —había añadido.

En Rusia, me dijo Edith, se le podía poner la cara de Putin a cualquier cosa. Vodka, pan, lo que fuera. En Hong Kong ocurría lo mismo con Hello Kitty. Edith especulaba con que la razón en parte era que Hello Kitty venía de Japón y por tanto indicaba resistencia frente a la China continental. En el vestíbulo de su bloque había una máquina expendedora con pianos de juguete y dispensadores de caramelos, todo de Hello Kitty. También había tampones de Hello Kitty, aunque Edith no estaba tan segura de qué representaban. Me había fijado en que Edith había empezado a hablar más a menudo sobre el periodo, y también sobre exfoliación y ejercicios para fortalecer los abdominales. Sabía que eran cosas normales de las que hablaban las amigas, pero la idea me sobrevino espontáneamente: a lo mejor Edith quiere que me fije en su cuerpo.

Un domingo de mediados de abril, me topé con Victoria saliendo del 7-Eleven y me preguntó cómo me mantenía delgada si era eso lo que comía.

—Procuro buscar el equilibrio —le dije, lo que significaba que a veces me comía un dónut de Hello Kitty para desayunar y luego me sentía tan mal que no comía nada más en todo el día.

—El equilibrio es la clave —respondió Victoria.

Me mostré de acuerdo.

A la semana siguiente me vio allí de nuevo. Me acordé de que Victoria vivía cerca. Las dos íbamos borrachas. Me preguntó qué me pasaba. Le dije que no me pasaba nada, que era a ella a la que le pasaba algo y que además, ya que estaba allí y en referencia a su pregunta de la vez anterior, yo estaba delgada porque tenía dinero. En nuestro siguiente encuentro, fingimos que aquella conversación nunca había ocurrido.

A esas alturas podía permitirme decir lo que quisiera.

* * *

Edith seguía siendo siempre la que sugería que nos viésemos. Yo no me atrevía a hacerlo. Su tiempo, como el de Julian, era importante. Me inventaba que no podía quedar el primer día que proponía, pero entonces ella aseguraba que no tenía ninguno otro libre. Si luego Edith no publicaba ninguna prueba de su agitada vida, yo pensaba: pues me dijo que estaba muy ocupada. Y si lo hacía, pensaba: pues para Instagram no está tan ocupada.

Los otros profesores me invitaron a ir a TST. Primero estuvimos en un tugurio auténtico de hongkoneses. Scott de Arkansas me dijo que lo conocía porque otro estadounidense le había hablado de él. Pese a que el local no tenía página web ni teléfono de contacto, Scott consiguió llevarnos buscando el 7-Eleven de Kimberley Road y luego la puerta trasera con una cabeza de cerdo que asomaba.

Fui al baño. La chica del cubículo de al lado estaba llorando o corriéndose, no lo distinguí bien. Edith siempre publicaba historias los viernes por la noche. Con toda seguridad, a partir de las nueve aparecerían un montón de carpetas en la oficina con el pie de foto «Mi vida es divertida e interesante», seguidas una hora después por un plano cenital de unos cócteles con «El alcohol cura cualquier carga laboral». Me planteé la posibilidad de que la chica de al lado estuviese llorando y corriéndose a la vez y pensé que, en cualquier caso, su noche iba a ser mejor que la mía.

Caí demasiado tarde en que tendría que publicar algo antes de que Edith se diese cuenta de que había visto su historia y pensara que estaba en casa con el móvil. Volví y enganché a Briony de Leeds para hacernos un selfi. Briony había tomado demasiado MDMA para cuestionar ese comportamiento en mí. Veinte minutos después, miré la lista de esa historia y comprobé que Edith la había visto.

Al poco, apareció rodeando el nombre de Edith el círculo arcoíris que indicaba que había subido otra historia. No la abrí. Me pareció una pequeña victoria.

* * *

El lunes siguiente, nos tomamos un café en Sheung Wan y Edith me dijo que estaba trabajando en una OPV, una oferta pública de venta, aclaró. Yo ya sabía lo que era por Julian, pero aprecié el detalle. El socio que estaba al mando de la OPV, William Brent, llevaba en Hong Kong desde antes de la entrega a China. Según él, en nuestros tiempos los hombres les tenían miedo a las mujeres.

—No estoy segura de si tiene miedo de manosearnos o de que se lo vayamos a contar a Recursos Humanos —añadió Edith.

Creía que en Cambridge había sido fácil hablar sobre la ocupación y la reforma de los espacios no feministas. Mucho más complicado en la vida real, pensaba. No podías presentarte ante William Brent y decirle que el «espacio» de su bufete de abogados era antifeminista, básicamente porque el primer paso para cambiarlo sería deshacerse del propio William Brent.

Edith se mostraba calmada frente a las cosas que no podía cambiar. Su empresa estaba llena de hombres horribles y tenía que ser amable con ellos. En todos los trabajos pasaba igual, pero al menos en el suyo le pagaban bien.

Yo estaba segura de que en el banco de Julian habría varios William Brent, y de que en ese sentido Julian hacía lo mismo que había hecho cuando Seb habló sobre las dimensiones de mi garganta. Sin duda, se diría a sí mismo que haría algo en cuanto tuviese poder para ello, y llegado ese momento se preguntaría dónde se habían metido todas las mujeres.

Aún no le había contado a Edith nada sobre Julian. Lo más probable era que lo estuviese postergando porque sabía que a ella no le iba a cuadrar él. Tenía ganas de decirle que no lo conocía como yo. Era una afirmación de manual que las mujeres hacíamos sobre los hombres cuando nos arrepentíamos (de los hombres o de la propia afirmación, según se analizase), aunque en ese caso sería indudablemente cierta porque Edith y Julian nunca se habían cruzado.

—No te gustan nada los hombres —le dije.

Tienes razón. Nada de nada.

Eso también quedaba visto para análisis.

Le hablé a Edith de un verano en la universidad en el que unos cuantos de mi grupo nos fuimos a la segunda residencia que uno de ellos tenía en West Cork. Yo dormí en el sofá y dos de los chicos ocuparon un colchón que había en el suelo, y en la oscuridad uno vino y se me tumbó encima, con mucha calma, como si estuviese siguiendo unas instrucciones. Le susurré que no estaba segura, es decir, quiero que te quites de encima pero tengo miedo de lo que puedas hacer si te lo digo así, y pasó de mí. El aliento le apestaba a alcohol. Pensé que era Colm, pero también podía ser Ferdia. No veía bien. Probablemente pudiese haber deducido si era Ferdia o Colm, pero no lo hice, porque entonces habría sabido quién era y en todas las subsiguientes interacciones con Colm o con Ferdia, interacciones que iba a tener que seguir manteniendo porque nadie me creería o todos dirían que sí, que claro, pero que el muchacho también tenía sus problemas, me acordaría de lo que Colm o Ferdia había hecho, sabría que su recuerdo de lo ocurrido sería que nos habíamos emborrachado y nos habíamos liado, y estaría segura, además, de que nuestros amigos no iban a «ponerse de parte de nadie», en otras palabras, que me iban a tratar como a alguien que quizá estuviese mintiendo sobre una violación. Me dije a mí misma lo que habrían dicho ellos (área borrosa, no creo que él hiciese algo así) y al poco me convencí de que en realidad me lo estaba inventando todo, y entonces me sentí como una persona enferma y amoral por acusar falsamente a alguien de algo de lo que no lo había acusado y que en realidad sí que había hecho.

—Joder —dijo Edith.

—Sí.

Era fácil distinguir quién había pasado por algo así y quién no, porque la gente que no lo había vivido, cuando se lo contabas, siempre se moría por saber detalles. Decían que era para poder experimentar su indignación moral con una precisión más noble. Eran unos mentirosos y los odiábamos. Edith y yo nos contamos lo que quisimos y nada más. Al acabar, cambiamos de tema.

Un día reparé en que habíamos dejado de ir al teatro. Le pregunté por qué y Edith me respondió que en realidad no le gustaba. «Quería que pensaras que sí», me dijo, y entonces volvió al teléfono. Aquello me sorprendió en unos cuantos niveles. No había sido consciente de que a Edith le importase hacerme pensar que era culta. No me había percatado de que me había cruzado con alguien que le daba peso a ese tipo de cosas. Y no me había fijado en que nuestra relación estuviese cambiando tanto para que Edith pudiera sincerarse ya conmigo; siempre que esa última confesión fuese de verdad lo que sentía y no alguna nueva ilusión de franqueza.

Julian, pensé, sabe distinguir cuando le gusta a la gente. Edith y él tenían muchas aptitudes en común. Me pregunté si esa sería una de ellas.

* * *

Empecé a redactar un mensaje en el que le hablaba a Julian de Edith.

> he hecho una amiga nueva. no sé x q no te lo he contado hasta ahora. la conozco desde hace solo unas semanas pero cada vez pienso más en ella. da la casualidad de q la búsqueda «cómo ligar con mujeres» muestra resultados muy distintos a «cómo saber si una mujer está ligando contigo». en ambos casos se da x supuesto q quien busca es un hombre. supongo q no te importa q se asuma q eres un hombre, y eso explicaría tu amor x la literatura.
>
> de todas formas nunca me he acostado con una mujer. me besé con algunas en la universidad. tenían los labios más suaves, x si no lo sabías.
>
> pienso en acostarme con otra gente y me siento culpable, y es raro xq creo q en todo caso lo q te haría gracia sería q no tuviera sexo con alguien por ti. en plan anda ya para qué eso es pasarse. me dio miedo cuanto te fuiste pero no creo q haya cambiado nada. sigues dedicando más tiempo y energía a demostrar q no me quieres de los q nadie ha dedicado jamás a demostrar q sí.
>
> a veces te quiero y a veces creo q sería mejor q un avión se estrellase contra tu oficina y tú estuvieras en el avión o en el edificio.

Decidí, después de sopesarlo, que ese mensaje no tendría el efecto propiciador deseado.

22

Mis niños de cuarto de primaria estaban escribiendo haikus: cinco sílabas, luego siete y luego cinco. El trimestre anterior habían hecho poemas de cuatro versos y Ming Chuen Lai manifestó una ligera sospecha de que eso significara que el plan de estudios se hacía cada vez más fácil, no más difícil. Estuvimos debatiendo sobre varias palabras. Ellos aseguraban, por ejemplo, que «film» en inglés tenía dos sílabas: «fil-um». Yo quería decirles que la mayoría de Dublín estaba de acuerdo con eso, pero sus padres no pagaban por un inglés de Dublín.

A Katie Cheung, de nueve años, no le gustaba el formato haiku. Juntas hicimos una lluvia de ideas para que escribiese un poema sobre un gato. Para el primer verso, propuso: «Al gato grande y peludo le gustaba beber mucha mucha leche».

Le ofrecí versiones de cinco sílabas: «Mi gato bebe», «Gato lechero», «La leche y el gato». (La regla de las vocales y la unión de sílabas era una caja que la propia Pandora habría dejado en paz en esta coyuntura.)

Katie Cheung no dio su brazo a torcer. Katie Cheung lo quería todo en el primer verso. Le pregunté qué iba a poner en el segundo si lo decía todo en el primero y me respondió que ya pensaría en algo más.

Le dije que podía escribir un relato, pero que al menos usara párrafos. Accedió a hacerlo con muchas reticencias. Seguirá sin haber espacio suficiente, aseguró.

Yo había sido una cría maleable y me pregunté si ya entonces había resultado obvio que nunca iba a convertirme en artista. Si un profesor me hubiese pedido que introdujese saltos de línea, habría rebanado mis palabras cual lonchas de jamón para agradarlo.

* * *

Mi madre me contó que en Dublín hacía calor para ser abril.

—Lo siguiente es que el Ártico se derrita. Y viviremos en búnkeres —me dijo.

Le respondí que esperaba que hubiese fases intermedias.

Me dijo entonces que mi padre decía hola. Más bien mi padre le había encargado que me dijese hola de su parte, le contesté. «Tu padre dice hola» implicaba que lo estaba diciendo él mismo. Mi madre me respondió que no hacía falta complicar las cosas y que George también decía hola. Luego empezó con las noticias. A mi primo Tadhg lo había echado la casera, supuestamente para que entrase a vivir un familiar, pero a la semana la habitación estaba anunciada en Daft con una subida de cien euros en el alquiler. Me había olvidado de Tadhg. Otra prima mía había dado a luz. Le dije a mi madre que no reconocía el nombre de esa prima y me lo repitió: Sinéad, como si solo con eso fuese a conocerla.

—Estás muy lejos —me dijo, y me pareció injusto, en

tanto que tampoco había sabido quién era Sinéad antes de marcharme.

—Mamá, ¿te planteaste alguna vez ponernos nombres irlandeses?

Me contestó que no, que la gente que hacía eso mandaba a sus hijos a clases de flauta irlandesa.

—Y Rachel Mulvey ha vuelto —continuó.

Tampoco conocía a Rachel Mulvey. Mi madre concretó. Los Mulvey que viven aquí en la calle, con un tono que quería decir: tengo claro que mi hija no sabe nada.

—Ha vuelto de Nueva York —explicó mi madre—. Todos terminan volviendo antes o después. —Añadió entonces que la casa parecía vacía sin Tom y sin mí—. Es un desperdicio andar dándole dinero a un casero. Tom dice que ochocientos es un buen trato. Ochocientos al mes. Por una habitación, Ava.

—No está bien que la gente gane dinero por tener casas que no utiliza. Creo que habría que quitarles esas casas —respondí.

—Otra vez soñando despierta, hija.

Llamar a casa me hacía echar de menos hablar de política abiertamente. En el trabajo no podía hacerlo, entre otras cosas porque, por un lado, Joan y Benny eran arrendadores los dos, aunque sobre todo porque a los jefes no les gustaba dar trabajo a gente que pensara que no debían existir. Julian me escuchaba pero era incapaz de decir: qué idea más interesante. Y cambiaba de tema a la mínima oportunidad que se le cruzase. Con Edith y Miles podía ser todo lo de izquierdas que quisiera, pero me preocupaba cómo conseguir sonar lista.

—El Estado debería apropiarse de los hoteles de Dublín y convertirlos en viviendas sociales —dije.

—Ahí estamos, Ava.

—Y debería existir un impuesto sobre sucesiones del cien por cien. Y una renta básica universal.

—Ahí estamos.

—Y al final, el comunismo.

—Ahí estamos.

Disfrutaba de las conversaciones en las que no intentaba convencer a nadie, en las que solo decía lo que pensaba y nada más. Me cansaba intentar hacerme aceptable.

Mi madre empezó a preguntarme un montón de cosas. Siempre lo hacía cuando se daba cuenta de que me estaba guardando algo. Pero no había nada que mereciese la pena contarle sobre Edith. Si le decía que había ido a tomar café con una mujer, mi madre se preguntaría qué era lo que de verdad estaba ocultándole.

23

Más avanzado abril, Edith y yo fuimos a una exposición en Sheung Wan. Me saludó con un abrazo. Tuve miedo de pegarle algo en la ropa, una pelusilla o un pelo suelto.

—Qué vestido tan mono. Pareces Audrey Hepburn —me dijo.

—Es viejo ya.

—Es precioso.

Edith parecía creerme incapaz de aceptar un cumplido. Yo prefería pensar que no me gustaban las muestras profusas de emoción y que aceptaría todos los halagos que fuesen si la gente moderase sus maneras de expresarlos.

Mientras íbamos de camino, andando, me pregunté si Edith era guapa o solo me lo parecía a mí. Pensando en clave universitaria, era consciente del carácter subjetivo de la belleza, pero quería averiguar si estéticamente encajábamos. Estuve a punto de preguntarle si sabía que Holly Golightly era bisexual. Tras haber formulado el comentario en mi cabeza y decidir cómo orquestar mi lenguaje corporal al verbalizarlo, me ruboricé casi tanto como si lo hubiese dicho de verdad.

Por la galería correteaban algunos críos torpones. Los cuadros eran de tulipanes y flores de cerezo. Edith comentó que esas eran el tipo de cosas que le gustaban a su abuela. Pensé que lo había dicho para reírse de la exposición, pero entonces fue y compró unas copias para esa misma abuela. En momentos así era cuando me acordaba de que había una categoría de personas que la llamaban Mei Ling y a quienes yo nunca conocería.

Al salir, le dije a Edith que me iba a casa a hacerme la cena. Me preguntó si tenía compañeros de piso. Era una pregunta que esperaba que me hiciese en cualquier momento.

—Uno, pero está fuera. Julian —respondí.

—Julian —dijo; en tono vigilante, pensé—. Pues podríamos hacer esa cena juntas.

Nunca había llevado a gente al apartamento y me sentí aliviada de que en el vestíbulo no tuviésemos que cumplir con ningún tedioso proceso de registro. Aunque la norma dictaba que había que hacerlo, esa noche coincidió que estaba uno de los porteros que no la aplicaba a la gente blanca. En el ascensor, una mujer llevaba un pastor alemán jadeante sujeto por una correa. Edith dijo algo *gao* algo y la mujer se rio y dijo algo algo *gao*.

—¿Seguro que a Julian no le importa? —me preguntó Edith.

Me pareció que decirle su nombre había sido como contarle algo personal y me planteé, estúpida de mí, si era demasiado tarde para retirarlo.

Al cruzar la puerta, dejé las bailarinas en la balda de abajo y luego las pasé a la de arriba sin necesidad, detalle que me llamó la atención como propio de una persona nerviosa. Mientras Edith cocinaba, encendí las velas por primera vez. Pensé en si Julian se fijaría en los pegotes de cera cuando volviese.

Edith ocupó el sillón orejero de Julian cuando quedó claro que se me había olvidado que debía invitarla yo a hacerlo. Utilizó los reposabrazos. Julian raras veces lo hacía cuando se sentaba ahí. Él se cruzaba de brazos y los mantenía así, apretados, como si estuviese en el asiento de en medio de un avión y las personas sentadas a ambos lados hubiesen embarcado primero.

Cenamos. Le pregunté a Edith por qué no se había independizado. Habría sido una pregunta estúpida en el caso de la mayoría de los veinteañeros hongkoneses, pero yo sabía que ella ganaba dinero de sobra.

—No te puedes independizar sin más, sin tener marido, o una hipoteca por lo menos.

—¿Tienes pensado casarte?

—No, no creo que lo haga.

—Deberíamos buscar una casa juntas.

Edith sonrió y dijo: a lo mejor.

Le di el mando a distancia y eligió un canal en el que estaban poniendo *Inglourious Basterds*. Me dijo que en el título original aparecía «Basterds» en vez de «Bastards» porque Tarantino lo tenía mal escrito en un guion que se filtró y luego insistió en que lo había hecho a propósito. Las dos coincidimos en que eso era algo muy muy masculino.

Mientras hablábamos yo no paraba de tocarme la boca. Era una costumbre que tenía de niña y me hacía parecer una bruta. Me obligué a parar y entonces me puse a juguetear con el pelo.

Durante un tiroteo, Edith me preguntó cómo era Julian.

No parecía estrictamente necesario que tuviese que usar su nombre todo el rato.

—Ahora mismo está en Londres. Está en la banca —respondí.

Pensé en formulaciones alternativas: se dedica a la banca, trabaja en un banco, trabaja para un banco. Seguramente para Edith fueran todas iguales, pero a lo mejor no y al final había usado la equivocada. A veces pensaba que las cosas quizá habrían salido mejor con Julian si yo hubiese sabido que no «ibas a» Oxford sino que «entrabas en» Oxford. Odiaba el sistema de clases británico. Desde luego todo eso era una tapadera para lo que de verdad sentía en el contexto de Edith, fuera lo que fuese, aunque también era una emoción real, solo que no la principal. De acuerdo con mis estándares, estaba aplicando mi autoconocimiento. Sabía que Julian seguiría sin ser mi novio por mucho que yo dijese «entrar en Oxford», pero hasta cierto punto creía sinceramente que mi principal inseguridad ante Edith radicaba en si ella se veía o no atraída por la gente que usaba mal el subjuntivo.

—¿A tus padres les parece raro? Que vivas con un hombre —me preguntó.

—No se lo he contado. No lo entenderían.

Y era cierto.

—¿Y se trae a chicas?

Edith estaba escribiendo en el móvil mientras hablaba. Yo sabía que de verdad tenía correos que responder, aunque también me preguntaba si no era demasiado oportuno que siempre los consultase cuando estaba diciendo algo potencialmente incómodo.

Ojalá le hubiese dicho desde un principio que Julian y yo nos acostábamos. Ya era demasiado tarde. Edith dejaría de contarme cosas y vería con suspicacia renovada cualquier información que le confiase.

Mirándola me daba cuenta de que encajaba con Julian. Los dos sabían caminar con zapatos recios sobre suelos de mármol, atender a llamadas los domingos y responder a correos a medianoche. Podrían ahorrar tiempo si uno leía el *Economist* y el otro el *Financial Times* y luego ponían en común la información. Estaba segura de que si me ocupaba de pasarlo todo a una hoja de cálculo, Julian le pediría salir a Edith. Me los imaginé juntos y entonces entendí que solo lo estaba haciendo porque no podía crear una imagen clara de Edith conmigo. Era mucho más fácil que mi mano pasara por ser la de Edith que la de Julian en mitad de la oscuridad; en cualquier caso, solo era posible considerar una cantidad limitada de pensamientos de manera productiva.

La película terminó y Edith dijo que tenía que irse pronto.

—Hay que repetir otro día —añadió.

—Quizá sea más complicado cuando Julian esté de vuelta.

—¿No es muy sociable?

Le dije que había más posibilidades de que Julian fuese Catalina la Grande de Rusia que sociable. Fue una broma muy típica de Julian y muy poco propia de mí. Me pregunté si le había robado su forma de hablar porque conmigo le había funcionado.

Antes de que Edith se marchase, le enseñé mi armario. Sacó un abrigo color camel y dijo que le encantaba Ted Baker porque parecía más caro de lo que era en realidad. Yo me había alejado tanto de la versión de mí misma que habría considerado el precio alarmante que esa Ava me dio mucha vergüenza ajena.

—Por cierto, Ava, ¿tú eres socialista?

Nadie me había preguntado eso antes. En la universidad la gente daba por sentado que lo era porque todos mis amigos lo eran, y nadie en el trabajo pensaba que un adulto pudiera serlo.

—Sí.

Edith dijo que reconocía el mérito, pero que también le gustaba tener cosas bonitas.

Al día siguiente le mandé un mensaje: podría decirse que el marxismo significa pensar que todo el mundo debería tener cosas bonitas, nosotras incluidas. Edith me respondió que era imposible que yo pensara que eso justificaba tener un Rolex aquí y ahora cuando había gente muriéndose de hambre. Le dije: tienes razón. Quise añadir que el reloj de Julian era de los baratos, que se lo había comprado en Shanghái, pero entonces caí en que Edith no lo conocía, así que no había podido hacer ninguna suposición horológica.

Más tarde, esa noche, me mandó otro mensaje en el que se quejaba de seguir en el despacho. Le envié el PDF de *Por qué Marx tenía razón* con el asunto «cuidado: polémica marxista». Me respondió: «¿Me estás tirando los tejos?, porque diría que esto no es seguro abrirlo en el trabajo».

Las luces estaban apagadas. Mis manos eran siluetas delante de la pantalla.

* * *

Desde su marcha, hacía dos meses, yo seguía con la pestaña de Julian abierta en internet. Su presencia en las redes sociales era más bien una ausencia: ninguna actualización de estado, cambios en el perfil de Facebook tan poco frecuentes que con cuatro pasadas a la rueda del ratón lo veías bañado en champán tras los exámenes finales. Tenía un Instagram en el que había publicado ocho fotos en total. Después de irse a Londres, se había aficionado a abrir todas mis historias. Yo dudaba de que Julian supiera que en la aplicación podías comprobar quién lo hacía.

El nombre de Edith estaba siempre de los primeros en la lista de gente que veía mis historias. En vano consulté artículos y *subreddits* para saber si eso significaba que me «stalkeaba», que la «stalkeaba» yo a ella o las dos cosas. Yo ya era consciente de que miraba mucho su perfil, pero quería comprobar si el algoritmo también lo sabía. Y lo más importante: me preguntaba si mi nombre estaría también entre los primeros de la lista de Edith. Si el que ella estuviese arriba en la mía significaba que yo era la *stalker*, entonces yo solo estaría arriba en la suya si también ella me «stalkeaba» a mí; y si el hecho de que ella estuviese arriba en la mía la convertía en la *stalker*, entonces sí, que yo estuviese arriba en la suya me destaparía a mí como lo mismo, aunque ella me estaría «stalkeando» a su vez, así que no podría juzgarme.

Los comparaba. No eran lo bastante similares para ser gemelos ni tampoco lo bastante diferentes para ser contrapuntos. Y aun así tenía una pestaña abierta para Edith, otra para Julian, y no dejaba de pasar de una a la otra.

24

Mayo

A principios de mayo, Edith me llevó al Times Square Mall. Era un sitio grande y limpio, con suelos de mármol. La tienda de Lane Crawford ocupaba todo el atrio, luego estaban Gucci y Chanel («cebo para turistas», dijo Edith), Loewe y Max Mara («cebo para turistas sesudos») y después marcas para gente que creía tener dinero pero no era así (Coach o Michael Kors).

—Imagínate llevar cosas de Michael Kors adrede —comentó Edith. Le respondí que no estaba bonito decir algo así—. Pero es que es verdad.

Siempre que me ponía algo que Julian me había comprado, sentía que Edith podría adivinar lo que costaba y pensar que no lo valía.

Entramos en Zara. Le pregunté por qué Zara era aceptable y Michael Kors no, y contestó que porque Zara sabía cuál era su sitio. Añadió que, en otro plano, era muy consciente de que al final todo eso no era más que basura consumista, pero le costaba sacudirse la influencia de la señora Zhang.

—Tienes razón. Es todo basura consumista —le dije.

Sonrió. Me alegré de que mi sequedad le pareciese adorable, aunque sospechaba que era solo porque no le afectaba mucho. Nos imaginé como personajes de dibujos animados, yo intentando darle cabezazos sin poder moverme del sitio, embistiendo con la frente la palma de su mano tranquilamente extendida.

Edith eligió prendas de las baldas para que nos las probásemos. A mí me daba demasiada vergüenza comprobar si teníamos la misma talla, pero Edith me preguntó cuál era la mía y le dije que la misma que la suya. Comentó que ahorraríamos tiempo si compartíamos probador. Me di la vuelta y entonces ella también, como si no se le hubiese ocurrido de no haberlo hecho yo. Por el espejo le vi el sujetador negro de encaje. Su desodorante olía a pastilla de jabón.

—Me gustan tus pecas —me dijo, aun dándome la espalda.

Podía estar admitiendo con eso que había echado un vistazo por encima del hombro o sencillamente estar comentando las partes de mí que ya había visto antes, y pensé que tampoco se habría herniado por haber sido más clara al respecto.

—Tu vestido sí me gusta. El mío es feo —le dije.

Edith respondió que no, que solo era distinto. Por primera vez discrepábamos en algo de ropa.

—Ese cuello te resalta las clavículas —añadió.

Le dije que ella también tenía unas clavículas bonitas, que si no era curioso que dijéramos clavículas en plural cuando en realidad era solo un hueso, y también que el vestido seguía siendo feo.

—Deja que me lo pruebe si tú no lo quieres —me pidió.

Me lo quité. Esa vez nos quedamos frente a frente.

Más tarde empecé a escribir otro mensaje Potemkin para Julian.

> creo q estoy flirteando con edith. parece de esas personas q flirtean con todo el mundo y en realidad no flirtean con nadie. no sé lo q está pasando. la conozco desde hace dos meses y es como si fuese la única persona q ha importado o existido en mi vida.

Seleccioné todo el texto y pulsé la tecla de retroceso, después salí y volví a entrar tres veces en los borradores para asegurarme de que la eliminación se había guardado. En el recuadro ya vacío escribí: «Ojalá supiera lo que siento en general», y también lo borré.

* * *

Victoria me invitó de nuevo a tomar el té; hizo alusión a unas cosas para las que Julian «le había escrito». Que «le había escrito» solo significaba que le había mandado «mensajes», pero sonaba a que entre ellos existía una connivencia mayor. Le respondí que estaba ocupada con el trabajo. Me observé a mí misma mientras escribía aquello, algo que obviamente haría que Victoria me odiase aún más de lo que ya me odiaba, y luego seguí observándome mientras le daba a enviar.

Mi madre también me dijo que había estado muy perdida. Cuando la llamé, me comentó que le parecía distraída. Julian me mandó un mensaje y después otro unos días más tarde para decirme (en tono petulante, pensé) que no era propio de mí tardar tanto en contestarle. Incluso Tom me preguntó si todo iba bien. Hacía tanto tiempo desde que hablamos la última vez que me olvidé de regañarle por haberle contado a mamá lo de Julian.

Siempre que estaba esperando una respuesta de Edith me tocaba la clavícula. Y entonces me escribía.

El primer domingo de mayo, Edith y yo fuimos a un sitio de *sushi* en Queensway. Nos reunimos en la estación y fuimos caminando hasta el local, pasando junto a oficinas de cambio y tranvías de dos pisos que iban por Hennessy Road. Las farmacias chinas olían a vieiras y al aroma a madera del *ginseng*. Edith me vio mirar las cajas expuestas de remedios marrones resecos y me dijo que la señora Zhang tenía ideas muy detalladas sobre lo que funcionaba y lo que no, por si alguna vez necesitaba ayuda.

—Nidos de pájaro para la tos —me dijo.

Fui a cruzar el semáforo en rojo pero Edith me retuvo.

El restaurante de *sushi* tenía una cinta transportadora. Yo no comía pescado, así que mis opciones eran limitadas. Edith vio un rollito de pepino antes que yo, se abalanzó para echarle mano y sonrió triunfante por ser tan buena proveedora de sustento. Me calificó como usuaria de palillos de nivel medio. No daba vergüenza ajena, pero tampoco iban a concederme ningún premio. Cuando me perdía con sus explicaciones, Edith alargaba la mano y colocaba bien los palillos en la mía. Después de eso yo tenía miedo de soltarlos, por si no sabía volver a ponerlos en el ángulo correcto.

—¿Cuánto tiempo crees que te quedarás en Hong Kong? —me preguntó.

—No lo sé. Quizá hasta que quiera buscarme una hipoteca.

—Espero que no te moleste que te lo diga, pero tu piso está muy pero que muy bien. A lo mejor podrías mudarte a un sitio más barato.

—Para serte sincera, Julian paga la mayor parte del alquiler.

—¿En serio?

En la voz de Edith siempre había sorpresa. Ese era su encanto. Aunque complicaba la tarea de saber cuándo una afirmación la había desconcertado de verdad. Mantenía la barbilla en ese ángulo preciso y abría los ojos muy así, para absorber las palabras, todas las palabras. Esa cara era una de mis favoritas de Edith, aunque su ubicuidad enturbiaba las cosas siempre que le contaba algo difícil y no sabía cómo continuar.

—Es complicado —le dije.

—No es asunto mío, desde luego, pero...

—Te estás preguntando si...

—Sí.

—No. Pero no me importa que lo preguntes.

Me planteé si le estaba ocultando la verdad para evitar arruinar mis, abro comillas, posibilidades con ella, cierro comillas. Aunque no pensaba que fuese por eso. Tenía la suficiente carencia de escrúpulos para mentir con el objetivo de acostarme con alguien, pero aunque hacía otro tipo de cosas igual de malas, aquella no sería una de ellas. A no ser, claro, que me estuviese diciendo todo eso a mí misma para sentir que hacía la debida autocrítica al tiempo que mantenía la imprecisión sobre cuáles de mis comportamientos contaban de verdad como el tipo de cosas malas que sería capaz de hacer.

Por otro lado, seguía sin saber nada sobre la sexualidad de Edith. Pensé en inventarme una exnovia para ver cómo reaccionaba, pero me pareció pasarse de la raya. Mis rastreos en internet no tenían ningún límite, ni tampoco lo tenía la información que era capaz de ocultarle a Edith, estaba claro, pero nunca me inventaría a una persona. Era mi frontera moral. Casualmente, además, sacar a la luz a una novia implicaba valentía, mientras que el «stalkeo» virtual era tarea fácil.

Estaba el tema de Julian, aunque él se había reído de mí en febrero cuando le había preguntado si le importaba que flirtease con otros hombres. Di por sentado que las mujeres serían un blanco legítimo. Y si no lo eran, desde luego yo iba a seguir quedando con Edith de todas maneras.

25

Intenté no dejar de visitar a Miles, entre otras cosas por tener algo que decirle a Julian cuando me preguntase en qué invertía el tiempo. Además, así me distraía de pensar en Edith, y eso era agradable, porque cuando volvía a acordarme de ella tenía mejores sensaciones que la vez anterior.

Miles me contó que Mao se había fijado en la fallida Rebelión Taiping de mediados del siglo XIX. Al igual que él, los taipings importaron una doctrina rebelde extranjera. Al contrario que él, ellos nunca la hicieron resonar entre su gente y por eso la milicia de base de la alta burguesía los aplastó.

—Otra razón por la que el mundo académico marxista no debería ser un universo encerrado en sí mismo —dijo Miles. Era la cuarta vez que iba a verlo desde la marcha de Julian—. Y, aquí entre nosotros, me hace cuestionarme la finalidad de lo que hago. ¿Quién lee libros académicos?

—Tengo que reconocer que yo no —respondí, con la

mente ausente, pero Miles se rio y dijo que siempre podría contar conmigo cuando buscase sinceridad descarnada.

Eso no era cierto. Mentía a menudo para no herir los sentimientos de otras personas o para conseguir gustarles. Buena parte de mi franqueza era accidental. Sin embargo, recibía más capital social si fingía que era intencionada, básicamente porque la gente asumía entonces que mis cumplidos debían de ser sinceros. Julian parecía confiar en mí. La gente inteligente suele hacer tonterías.

—¿Te apetece un té? —me preguntó Miles.

Me parecía que hacía demasiado calor para un té, pero dije que sí y me ofrecí a prepararlo. Miles se negó dos veces y aceptó a la tercera. La cocina, pequeña, tenía una ventana y estaba mal insonorizada, así que oía y veía a unos hombres con sombrero hacer cosas con taladros fuera.

Miles me dijo que empezaba a preferir mi compañía a la de Julian. Yo sabía que eso no era verdad, pero le di las gracias por el comentario. Me planteé si se me notaría demasiado que ansiaba la aprobación de su hijo, o si Miles pensaba que todo el mundo quería caerle bien a Julian. Durante un tiempo me había estado muriendo por preguntarle quién había llegado primero a Hong Kong: ¿padre o hijo? Me imaginaba con frecuencia una conversación en la que uno de ellos ya estaba instalado allí y el otro llamaba desde Inglaterra para anunciar que también se mudaba. Los dos permanecían tranquilos por fuera, pero el intercambio tenía unas vastas implicaciones emocionales. Julian decía «correcto» muchas veces.

No podía pensar demasiado tiempo en Julian sin volver a Edith. La mayoría de las personas, sitios y cosas me llevaban a ella, pero Julian era un desencadenante principal. Estaba allí en el piso de Miles y pensé: Edith, y sonreí.

* * *

—Bebe más rápido, irlandesa —dijo Edith.

—Sabes que en Irlanda eso es un problema social serio, ¿no?

—Sí, vale. Lo siento. Bebe con moderación.

Habíamos pedido el champán de la Noche de Mujeres en la azotea de un bar de LKF, un viernes de mediados de mayo. La premisa de esas veladas era que los bares nos daban bebidas gratis a nosotras para que estuviésemos por allí y que los hombres nos satireasen. Edith dijo que así las citas de chicas con chicas eran muy asequibles para las que conociesen bien el mercado. No conseguí recordar si muchas mujeres hacían bromas como la de Edith, ni cómo gesticulaban en tal caso.

Nos estábamos poniendo ciegas (*mullered*, en jerga irlandesa) antes del veintitrés cumpleaños de Cyril Kwok. Edith me preguntó si *mullered* significaba lo que ella creía que significaba. Sí, le dije. El inglés irlandés tenía sentido. Así se distinguía del inglés británico.[1]

—Pero bueno, ¿por qué tenemos que ponernos ciegas? —le pregunté.

—Ya lo verás.

—*Ar meisce* es como se dice en irlandés irlandés.

—Pues vamos a ponernos *ar meisce* —dijo, como decidida a adoptar la expresión.

El champán de la Noche de Mujeres era un pago chapucero a cambio de tener que hablar con los hombres. Cualquier cosa lo habría sido. Daban palmadas en las mesas siem-

(1) El término *mullered* también se utiliza con el significado de «machacado», como en «estoy machacada a golpes» o «nos han machacado en el rugby». Parece ser que el origen de todo esto está en el verbo *to mull*, que aunque hoy en día signifique «reflexionar», en otros tiempos tenía el sentido más gráfico de «pulverizar», «moler», «machacar».

pre que alguien decía algo y extrañamente eso parecía animarlos a decir más. Necesitabas beber cantidades desorbitadas para no pisotearlos de forma deliberada, y la calidad del alcohol disponible no se prestaba a ello.

Habíamos ocupado unas sillas de enea en un rincón. Edith se bebió tres copas de champán en diez minutos. Le pregunté si de verdad necesitaba tanta sedación para lo de Cyril Kwok.

—Es de los que sube a Instagram las llaves de los coches de sus amigos —me dijo—. Amontonan todas las llaves en la mesita y luego Cyril cuelga una foto y los etiqueta.

—¿Que los etiqueta como si fuesen las llaves?

Edith puso los ojos en blanco como diciendo: no, los etiqueta como si fuesen el mal de la posverdad.

Me tocaba a mí reponer las bebidas.

—Y una para mi amiga —le dije al camarero, articulando las palabras rigurosamente para insinuarle que podía deducir de ahí lo que quisiera.

De vuelta en la azotea, Edith estaba respondiendo correos en el móvil. Me quedé un momento a cierta distancia, como esperando que algo cambiase. Cuando llegué a la mesa y solté las copas, dije (sentí que era capaz de decirlo si mientras tanto estaba haciendo otra cosa) que me preguntaba si habría mujeres que de verdad usaran la Noche de Mujeres para tener citas.

—Es una estrategia, desde luego —respondió.

A nadie se le podía dar bien Edith.

Paró un taxi e intercambió unas frases en cantonés con el taxista. Ya dentro, me quité los tacones y noté la alfombrilla a través de las medias.

—Los taxis siempre huelen a coche nuevo —dije.

—Utilizan un spray.

—Lo sabes todo.

—Estás *ar meisce.*

Me acarició una carrera que tenía en las medias y me dijo que debía tener más cuidado. Pensé en si eso sería una simple extensión de su dominio sobre todas las cosas o si de algún modo yo le había indicado que tenía permiso para hacerlo. Con mi forma de mirarla sí le había dicho que era suya (no la forma en la que yo había elegido mirarla, sino en la que no podía evitar hacerlo), aunque eso no significaba que ella hubiese podido verlo. Quizá Edith no se fijaba en absoluto en mí y me tocaba como habría hecho con un aparatito.

El taxi nos dejó arriba y tuvimos que pasar tres controles para entrar en un vestíbulo de mármol con una higuera de seis metros en el centro. Había bonsáis en maceteros por todas las superficies propicias para ello, incluido el ascensor. Edith dijo que tener hijos era como cuidar de un bonsái. Le pregunté a qué se parecía entonces cuidar de un árbol de tamaño normal. Eso, afirmó Edith, era cuestión de temperamento.

Cyril Kwok salió a recibirnos a la puerta. Iba de blanco de los pies a la cabeza: jersey, vaqueros, deportivas.

—Elegid un color —dijo.

—Esta es Ava —respondió Edith.

—Hola, Ava. Elige un color.

—Rosa. Hola, Cyril.

—Rosado entonces.

La fiesta era ruidosa y estaba a oscuras, con luces intermitentes. Cyril nos llevó por el zaguán y subimos a la entreplanta hasta lo que él llamaba «el cubo». Me sentí aliviada al ver que era un cubo de verdad. Cyril metió la mano para pescar algo y le encontró a Edith una botella de Armand de Brignac.

—Feliz treinta y un cumpleaños para mí —dijo, y nos besó en las mejillas antes de excusarse.

Le comenté a Edith que parecía buen tipo y le pregunté por qué lo odiaba. No me oyó la primera vez, así que tuve que repetírselo al oído.

—Pensé que me juzgarías por llevarme bien con él —me respondió—. Estudió en Eton.

—Julian también fue a Eton.

Edith agarró el rosado como para recordarme que era ella quien llevaba la batuta de la conversación.

—No paras de sacar a colación a Julian.

Hasta ese momento no supe con seguridad si Edith estaba borracha.

—No deberías fingir odiar a tus amigos —le dije.

El ruido volvió a ahogar mis palabras y Edith me pidió que se lo repitiese, lo que me permitió reformularlo: «Perdón por haberte hecho sentir que tenías que fingir odiar a tus amigos».

Edith tenía que ponerse al día con todo el mundo y yo no, así que estuvo pensando con quién dejarme mientras tanto. Con Julian me había acostumbrado tanto a eso que no me importaba.

—Te llevaré con Tony Ng —decidió—. Estuvo en Oxford, pero en el *college* alternativo, el Wadham, así que ahora intenta disimular que es rico.

Edith les dio un repaso a los pantalones chinos rojos de Tony, como diciéndome que podía juzgar por mí misma lo bien que se le daba disimularlo.

—Ling Ling, menudo figurín —dijo Tony—. ¿Qué tal Sam?

—Eso se acabó —respondió Edith.

—Vaya. Han pasado siglos.

—Siglos, sí.

Con una claridad que achaqué al alcohol, supe con precisión lo que sentía: envidia. Envidia en parte de que los amigos de Edith fuesen ricos, pero sobre todo de que Edith tuviese amigos. De lo de Sam me ocuparía luego.

—Esta es Ava —le dijo Edith a Tony—. Ava está soltera.

—Yo también. A ver cuál de los dos consigue primero a un hombre.

Pude haber respondido: o a una mujer. Pero no sabía si Edith me había presentado a Tony pensando en provocar una revelación por mi parte o si no se le había pasado por la cabeza esa posibilidad. Las niñas de mi colegio siempre decían que querían tener un mejor amigo gay, pese a que ninguna era una persona que un gay quisiera tener como amiga. Todavía me llamaban de todo por no haber besado a suficientes chicos.

Edith y Tony habían cambiado ya de tema, así que asentí y puse cara de estar atenta. Entendí que no había estado postergando mi salida del armario ante Edith solo como parte de una especie de juego. Me daba miedo además que dejara de ser mi amiga. Lo mismo me ocurría con Julian, y con todas las personas de mi vida que alguna vez se hubiesen interesado por mí incluso remotamente, aunque nunca había tenido que enfrentarme a ello en Hong Kong porque no me había pillado por ninguna mujer hasta ese momento. O a lo mejor no me importaba salir del armario y era solo que no quería que Edith supiera que me gustaba ella en concreto. Resultaba imposible separar esas dos cuestiones. No me podía gustar Edith sin que me gustaran las mujeres, y sentía además (sensación ilógica, pero sólida) que no me podían gustar las mujeres sin que me gustase Edith. Todos esos pensamientos me vinieron entre risas, así que tuve que seguir riéndome para que Edith no se diese cuenta de lo que había estado pensando.

* * *

Aquella noche en casa repasé la lista de amigos virtuales de Edith. Había seis Sams: cuatro hombres, dos mujeres. Hice clic en «Ver amistad» entre Edith y yo, luego fui a la URL y edité el nombre de mi cuenta para cambiarlo por todos los Sams, uno a uno, y ver así sus historiales con ella. Tres (dos hombres, una mujer) no tenían más que publicaciones de cumpleaños. Uno solo estaba etiquetado con Edith en fotos grupales de Cambridge. El último par, un Sam y una Sam, aparecían en sendas fotografías en solitario con ella, agarrándola con un brazo.

26

El 18 de mayo cumplí veintitrés. Los otros profesores me invitaron a ir con ellos al pub, pero les dije, sin faltar a la verdad, que ya tenía planes. Por una vez, le había propuesto yo a Edith salir, sin contarle que era mi cumpleaños. Me daba vergüenza la idea de que pensara que yo creía que éramos más amigas de lo que en realidad éramos. Me mandó un emoticono de globo por la mañana, lo que me llevó a preguntarme si habría sabido todo el tiempo qué día era o le habría llegado alguna notificación.

Nos vimos en una whiskería de Hollywood Road. El regalo de Edith fue un pañuelo estampado de un colectivo ecofeminista de Los Ángeles. Vi con escepticismo la indicación de huella de carbono cero en algo que había viajado de California a Hong Kong, pero el tacto al cuello era suave y además estaba envuelto, lo que sugería que Edith sabía de antemano que era mi cumpleaños.

Entramos. El sitio estaba atestado. En la carta preguntaban: ¿harías un pacto con el paraíso por la mejor bebida de la tierra?

Edith buscó la sección irlandesa y me pidió un Connemara ahumado *single malt*.

—Directo desde la madre patria —dije—. Voy a llorar como me descuide.

Cuando me lo trajeron, era tan fuerte que efectivamente se me saltaron las lágrimas. Edith me llamó niña chica y luego dio un repullo ella también al probarlo. Julian me había llamado lo mismo una vez, niña chica, y me pareció que eso demostraba que las palabras reciben su significado del contexto.

Después nos tomamos una sidra. En mitad de un ademán, le di un golpe al vaso y me derramé parte en el regazo. Edith sacó unos pañuelos de papel. Pensé que me daría uno, pero se inclinó y me lo pasó ella por el muslo. El pelo le olía a humo de haber paseado por LKF.

Aunque Edith se dirigió al camarero en inglés, el hombre le respondió en cantonés.

—Ha acertado —dijo Edith cuando el camarero se había ido—, pero yo podría ser de cualquier parte.

—A lo mejor es que no habla inglés —respondí.

Fue un comentario estúpido, pero necesitaba distraerme del mohín de Edith. Era otra de mis expresiones favoritas de ella, aunque sabía que registrarlas solo tenía sentido hasta cierto punto, dado que no podía imaginar una sola expresión suya que no fuese de mis favoritas. Las mejores cuñas verbales eran las que escribían mis niños de ocho años: «Me gusta su cara. Con ella soy feliz». Deseé no haber aprendido nunca gramática más avanzada para solo ser capaz de construir frases como esas. Habría sido una excusa para decirlas en alto.

—Tú no te das cuenta porque eres blanca —siguió Edith—. La gente me ve y da por sentado que soy de aquí.

—Pero es que eres de aquí.

—Más o menos. Se echan de menos cosas cuando has pasado la adolescencia fuera.

Sonaba a lo típico que podría haberle dicho un terapeuta, con una formulación extraña que permitía encajar una percepción evolutiva en no demasiadas palabras.

Edith añadió que mucha gente, sus padres incluidos, sentían una nostalgia mal orientada por el Imperio británico, basada en que al menos no era China.

—Hong Kong es el único sitio en el que ha funcionado el lavado de imagen de finales del siglo XX —dijo.

A las dos nos parecía delirante que los británicos creyesen que su imagen internacional era la de un manazas estilo Hugh Grant, flácido y amante del té. Si hubiesen sido un poco más indirectos durante las Guerras del Opio, o un poco más discretos en el Domingo Sangriento, nuestros países habrían sabido apreciarlos más.

—Por eso no pueden aceptar que fueron unos colonialistas —continuó Edith—. Se ven a sí mismos como un pueblo incapaz de sacrificar ni siquiera a un perro.

También coincidimos en que la obsesión británica con los perros daba grima, tanto por el volumen de animales de otro tipo que comían como por su nivel, histórico y contemporáneo, de respeto por los seres humanos.

Juntas hablábamos rápido. En Hong Kong yo siempre me ralentizaba, o para ayudar a los niños a que me entendiesen o porque Julian lo decía todo a su tiempo y me parecía que debía estar a la altura. Solo con Edith mi boca se permitía ir por delante de mí. El otro alivio era que en plena faena asertiva podía fingir no darme cuenta de que Edith tenía la rodilla apoyada en la mía.

Nos tomamos unos chupitos y luego bajamos por Aberdeen Street hasta el muelle. Pese a que era demasiado tarde para disfrutar de una vista decente, Edith dijo que le gustaba contemplar los barcos e imaginar sus formas dibujando líneas entre las luces, como cuando pintabas algo uniendo los puntos. Nuestro paseo comenzó ignorando a todas las personas que nos rodeaban y acabó sin nadie alrededor a quien ignorar.

—No sé si sabes que antes era ilegal que los hongkoneses vivieran arriba, en The Peak —me contó—. No estoy segura de si en Mid-Levels también, pero en The Peak seguro.

—¿Por qué? ¿Quién vivía allí?

Se echó a reír.

—Los británicos, cómo no.

Quise que me soltara uno de sus discursos, con sus gestos como extensiones corpóreas de los datos, pero lo dejó ahí. Eran las nueve de la noche. En los edificios de oficinas se veían algunas ventanas oscuras, como las opciones aún sin destapar de un concurso de la tele, pero muchas seguían totalmente iluminadas. Me imaginé a miles de Ediths y Julians encorvados sobre sus mesas, alcanzando objetivos, metiendo cizaña, esputando productividad. Sin embargo, delante de nosotras, el agua se mantenía quieta.

—Me pregunto si habrá algún momento en el que nadie esté trabajando en Hong Kong —dije.

Edith se volvió hacia mí lentamente.

—Odio mi trabajo. Trabajo mucho, está bien trabajar mucho, pero lo odio. Solo quiero que mi madre esté orgullosa de mí. Y eso es una estupidez, porque las cosas que ella valora no son las cosas que valoro yo, pero es mi madre. Me importa lo que piense.

—Bueno, dite a ti misma que lo haces por las risas —respondí.

—¿La gente sigue poniendo esa excusa?
Lo aposté todo a la sinceridad.
—Me gustan las mujeres —dije. Y luego—: Me gustas tú.
Edith me besó.

27

Nos estuvimos escribiendo toda la semana siguiente. Yo lo hacía desde el trabajo, o mientras paseaba por centros comerciales. Intentaba esperar quince minutos. Usaba la aplicación del bloc de notas para que Edith no me viese escribiendo, contaba los segundos, luego cortaba, pegaba y enviaba. Pero al poco vi que en cuanto había escrito algo necesitaba enseñárselo en el momento.

Entre esos mensajes: «Entonces quieres tomarte un café o algo».

Esos tres minutos de elipsis viéndola escribir tuvieron un campo gravitatorio propio. Edith no quería tomarse un café o algo, ni nada. El beso, por supuesto, había sido un pastiche. ¿Por qué estaba tardando tanto en decir que no? Dilo y déjame, que me coman los gusanos.

Y entonces: «Sí, sería genial».

Nos pedimos unos cafés de finca en Sheung Wan y nos reímos mientras nos los tomábamos. El mío era con carbón y leche de anacardos y el de ella era de pitaya, de color rosa fuerte. Pensé en preguntar si eso me convertía en el hombre, pero decidí que la heteronormatividad irónica seguía siendo heteronormativa, y también que era demasiado pronto para hacer una broma así.

Me planteé qué era mejor: una primera cita después de tres meses de conocer a alguien o mudarse a su piso después de esos tres meses pero seguir siendo «amigos» pasado medio año. Ninguna parecía una opción de éxito asegurado, aunque estaba demasiado feliz con Edith para que me importase.

* * *

No podía centrarme en el trabajo. Me sentaba a corregir tareas y me ponía a pensar en ella y cruzaba las piernas aún más fuerte. En clase los niños me preguntaban qué significaban las palabras o si estaban bien escritas. En vez de hacerles usar el diccionario como era mi deber, les decía la respuesta sin más. No pasaba nada. Tenían móviles. Por las paredes oía a los otros profesores dar instrucciones rigurosas y me preguntaba si mi problema era que no quería enseñar como lo hacían ellos o que no quería ser profesora de ningún modo.

Odiaba tener la responsabilidad. Quería que Edith me dijese qué éramos y cómo funcionaba aquello. Ninguna de las veces que Julian lo había hecho me había gustado la respuesta. Se me ocurrió entonces que quizá habría podido, por ejemplo, decírselo así a Julian, con palabras, en vez de fingir que me parecía todo bien. Y me alegré de tener una nueva oportunidad. A Edith también le había mentido, pero no de forma tan sistemática, y no sobre cómo me sentía.

Las niñas que llevaban los cuadernos limpios y ordenados eran mis preferidas entre mis alumnos. Sabía que crecerían y se parecerían a Edith y me alegraba de que Hong Kong tuviese un suministro a largo plazo. Connie Qian tenía pegamento y unas tijerillas en el estuche. Recortaba párrafos seleccionados de mis fotocopias y los pegaba en su libreta. «Me gustan tus cuadernos», le dije. Entonces me pregunté si debería haberlo dicho en un tono más mandón para dejar claro que no estaba intentando (nunca en la vida) ser colega de nadie. Connie se quedó pensando y al final aceptó mi cumplido. «A mí me gustan», dijo, y no incluyó «también», quizá para demostrar que su criterio era independiente del mío. Eso también me pareció algo que haría Edith.

Ningún alumno me había recordado nunca a Julian. Pese a mis especulaciones sobre su pasado, nunca había sido capaz de imaginármelo como un niño real. Julian no quería que lo viese de ninguna otra manera distinta a como era en ese momento. Yo le gustaba porque no lo había conocido antes de tener un sueldo de seis cifras.

* * *

Invité a Edith a venir a casa una semana después de nuestra primera cita. Para variar, apareció vestida con unos vaqueros y un jersey de punto trenzado. Me trajo de regalo un cuenco de cristal con dibujo de diamantes para la mesita de centro y me dijo que lo llenara de fruta o flores. Al pie de la letra era un regalo para mí, obviamente, pero el hecho de que Edith lo hubiese elegido para el piso de Julian me dejó sin saber bien qué decir. ¿Se lo agradecíamos los dos, o solo yo?

Comimos fruta y vimos una película antigua de Judy Garland. Me pregunté si otra gente vería películas cuando invitaba a alguien a hacerlo, o si el hecho de estar de verdad haciéndolo significaba que la cosa iba fatal.

—El ceño de Judy me resulta intrigante. Es como de búho —dijo Edith.

El argumento no nos cautivó demasiado. Judy era una granjera desaliñada; su hermana, actriz itinerante, le montaba un campamento en el granero para ensayar salerosos números musicales con su *troupe*. Había un predecible coqueteo con el apuesto prometido de la hermana, si bien le perdonamos la escasa originalidad porque el personaje lo interpretaba Gene Kelly. De haber existido la tecnología necesaria, seguro que Gene no habría pasado tanto tiempo viendo una peli después de invitar a una mujer a su casa.

—¿Te parece guapa? —dijo Edith.

—¿Judy?

—Claro.

Edith pudo haber dicho «claro» porque quién más iba a parecerme atractiva o «claro» porque Judy, como icono LGBT y persona de un género que yo había dicho abiertamente que me gustaba, era una mujer sobre la que, con toda probabilidad, debía de haberme formado alguna opinión.

—Entiendo por dónde vas con lo del ceño de búho. Y tiene un buen perfil. Gene y ella lucen un buen par de narices.

Podría haber dicho cosas mejores (me arrepentí de meter a Gene, que en realidad no pintaba nada), pero de todos modos me besó.

—Judy es genial. No sé si sabes que el estudio la obligaba a usar prótesis para la nariz, aunque no creo que aquí la lleve. Al final puso pies en pared —me dijo.

—Ojalá no me hubieses besado para luego interrumpirlo y empezar a hablar de las prótesis de nariz de Judy Garland.

—Te he dicho que esa no es una prótesis, que es la suya de verdad.

—A ver...

Comenzamos a besarnos otra vez y me olvidé de lo que quería que Edith se parase a pensar.

Hubo un momento pavloviano en el que hice amago de llevarla hacia la habitación de Julian, pero me detuve y en vez de eso la conduje a la mía. Nos los comimos mutuamente. Edith me agarró por el pelo y dijo: sí, justo ahí. Después comparamos nuestros cuerpos y me di cuenta de que nunca me había sentido tranquila haciendo eso antes. Podía relajarme. Nuestras extremidades no parecían ser de ninguna de las dos en particular. Edith tenía los brazos más largos, en eso coincidimos.

—Estoy muy feliz —dije.

—Y yo también.

Le pregunté si el sabor estaba bien. Siempre había querido preguntárselo a Julian, pero sabía lo que me respondería: «Sí, bien», y eso me preocuparía más, o: «Como un pinot noir, pero no estoy seguro de si es porque lo has bebido tú o porque lo he bebido yo». Edith dijo que no sabía describirlo. De pronto me vi respirando muy lento, de manera artificial, como para aplacar a otra persona, y vi que no era la respuesta lo que me interesaba. Era el ser capaz de decir que me sentía ansiosa.

Edith tenía que irse. Sus padres la esperaban de vuelta en casa. Me dije que eso no tenía nada que ver con que mi pregunta hubiese sido quizá muy rara, y entonces pensé que si ella hubiese dicho algo extraño seguramente yo habría esperado un poco y habría dicho otras cosas antes de marcharme.

No había quedado ningún registro de lo ocurrido. No terminaba de creérmelo del todo porque no estaba por escrito. Tal vez por eso Safo escribía poemas; aunque cuando Safo murió, sus papiros los usaron para envolver cadáveres y que no les entrasen larvas.

Fue una suerte que Edith se marchase antes de que yo empezara a ponerme existencial. Me dije: por eso estás soltera. Por eso puedes estar acostándote con dos personas, no hablarle a la una sobre la otra, vivir con una de ellas y aun así estar soltera.

28

Junio

A principios de junio, mis niños de nueve años terminaron el plural irregular y los nombres compuestos y pasaron a los colectivos: un rebaño de ovejas, una puesta de huevos, una oleada de pajilleros. Esto último me lo guardé para mí, pero sí me pregunté si los británicos dirían algo similar, porque aunque «una oleada de» no podía ser, como país esencialmente onanista debían de tener alguna manera de agrupar a los pajilleros. Pensé en cómo preguntárselo a Edith y que fuese un comentario gracioso, no raro, y entonces Kendrick Yang preguntó qué se decía para las uvas y perdí el hilo de la idea. «Manojo», le dije. «No, racimo», y luego dudé otra vez. El niño ya había escrito «racimo», así que lo dejé estar.

A veces me preguntaba si de verdad era hablante nativa de inglés. De niña había soñado despierta con ser una persona de un país extranjero, adoptada en secreto. Rusia era el candidato principal, porque había leído una novela histórica sobre una familia que huía de la Revolución de Octubre, pese a saber que si volvía a leer ese libro pensaría que tenía una ideología horrible. Los libros sobre personas que perdían todo su dinero, o que no tenían nada y conseguían algo, atraían más mi imaginación infantil que las historias en las que todo el mundo se quedaba en su sitio, aunque eso fuese mucho más común en la vida real. Y los personajes que no se planteaban nada sobre las clases sociales eran aburridos. No podía creerme que existiese gente así. En el colegio todo el mundo sabía quién vivía en las casas más grandes y quién tenía padres abogados.

Una vez le había explicado a Julian la diferencia en irlandés entre estar «*on* the scratcher» (tirado, porque vives del desempleo) y estar «*in* the scratcher» (tirado, porque estás en la cama) y le había preguntado si creía que había algo del carácter irlandés discernible en esa casi imperceptible diferencia entre vivir de un subsidio y meterse en la cama con alguien. Julian estaba medio adormilado y no me había respondido gran cosa. Pensé en aprovechar el comentario y ver qué sacaba Edith de ahí, pero sabía que me sentiría mal si lo hacía. No obstante, no estaba segura de si la culpa me vendría por repetir algo que Julian pensaba que solo le había dicho a él o por ofrecerle a Edith algo usado.

Era el cuarto mes de ausencia de Julian. Hasta cierto punto, sentía que nunca iba a volver.

* * *

Edith y yo seguimos acostándonos. Solo había una sensación mejor que ser la elegida de una persona tan perfecta, y era la de conseguir que esa persona pronunciase la frase: «Quiero que me hagas un dedo».

La mayoría de la gente muestra plieguecitos de piel blanda (tras las orejas, en las muñecas bajo las mangas), pero en Edith todo tenía ese tacto. Era tan pequeña que abrazarla fuerte resultaba innecesario, hasta rozar lo cómico. Nos envolvíamos la una en la otra y nos reíamos de toda la cama que sobraba. Me veía diciéndole a la gente: siempre nos hacemos sitio porque ya ves lo pequeñas que somos. Entonces me acordaba de que acababa de pasarme medio año follando muchísimo con un hombre verticalmente molesto. Era todo muy interesante.

Cuando Edith no estaba ocupada trabajando, nos tumbábamos en mi cama a compartir secretos. Pasadas tres semanas, me dijo que siempre le habían gustado las mujeres en exclusiva, pero que hasta Cambridge no se había dado cuenta de que no a todas las mujeres les pasaba igual y eso la convertía en lesbiana.

Le pregunté si se lo había contado a su familia.

—No —me dijo de inmediato.

Aseguré que yo se lo contaría a la mía si terminaba estando con una mujer. Hasta entonces, no había necesidad de tenerlos informados sobre mi vida sexual.

—No es que sea solo una cuestión sexual —añadí—. Pero a eso es a lo que lo reducirían.

Edith estuvo de acuerdo. El noventa por ciento de por qué no se lo contaba a sus padres era por el tema sexual.

Yo nunca me había acostado antes con una mujer, aunque me había pasado la mayor parte de la adolescencia y de la universidad obsesionada con una u otra. Todas tenían novio, o novia, o evidentemente eran personas a las que yo no les habría gustado en la vida. Cuando se lo conté a Edith, me preguntó si no pensaba que había ido a por gente no disponible porque sabía que así nunca tendría que enfrentarme a la realidad de que estar con esas personas no resolvería todos mis problemas. Le respondí que no tenía derecho a decir algo tan perspicaz.

—A todo el mundo le pasa, Ava. Siempre te estás describiendo como una persona con un sufrimiento único, cuando buena parte de todo ese sufrimiento es completamente normal. Creo que quieres sentirte especial (y quién no, es muy lícito), pero no consientes sentirte especial en el buen sentido, así que te dices a ti misma que eres especialmente mala.

Le pedí otra vez que dejara de entenderme tan bien, y se echó a reír y dijo: «Vale, lo he intentado». Pero en realidad me gustaba que me psicoanalizara. Sus aires de objetividad experta me daban la tranquilidad de que alguien tenía la situación (a mí) bajo control.

Edith se había acostado antes con su ex de Cambridge, Sam, me contó. En aquella época había sido más fácil. Todo su círculo era LGBT. Había vuelto a meterse en el armario al regresar a Hong Kong.

—Sam —repetí, para dejar claro que era información nueva.

Éramos demasiado tímidas para besarnos en público. La primera vez había sido permisible porque fue algo espontáneo, pero cuando se convirtió en patrón nos preocupaba que la gente se diese cuenta. Los pequeños gestos adquirieron importancia. Le daba un toquecito en el brazo para que mirase algo en mi móvil. Volvimos al Central Pier y nos hicimos un selfi, que luego le mandé con el pie de foto: amigas que son amigas. Puse una foto de Edith en una historia de Instagram, y cuando vi que Julian la había abierto sentí una punzada que al principio pensé que era miedo, pero después entendí que era más bien emoción. Ninguno de los dos conocía todos mis secretos.

* * *

En el trabajo fingía que era ella, o que ella me estaba observando. Cuando los niños susurraban entre sí o veían vídeos en los móviles, en vez de ignorarlos como normalmente hacía, tosía como sabía que lo habría hecho Edith. Funcionaba. Paraban. Cuando Clarice Xu me pidió ayuda, le dije que lo estaba haciendo genial. Por lo general no pensaba en mí misma como en alguien que pudiese dispensar cumplidos con libertad. A nadie le interesarían. Pero no hacía falta ser muy genial para que un niño de diez años quisiera tu aprobación, y ayudaba además que yo tuviera los rotuladores de la pizarra y ellos no.

A veces Edith venía a buscarme después del trabajo, a la estación de metro que había cerca. Entonces tenía permitido tocarla. Podíamos plantarnos en una escalera mecánica y yo alargar la mano y hacerlo. Era algo normal que hacían las amigas. Me apetecía que la gente supiera que estábamos juntas, pero solo las personas que no nos harían daño por ello. Me había dado miedo en Dublín, y en Hong Kong también me lo daba.

Quería explicarle algo a Edith: que ir de la mano de Julian era como tener en la mano un bono de museos, mientras que ir de la suya era como llevar una granada. Pero eso no tenía sentido ni siquiera en mi cabeza, así que estaba segura de que no lo tendría si intentaba decirlo en voz alta. Y Edith tampoco quería que fuésemos de la mano, por lo que ese tema nunca surgió.

* * *

Volví a ver a Miles en junio. Me habló de cuando el futuro líder comunista Zhou Enlai se escondió de las ametralladoras y las bayonetas en el hotel Western Astor House de Cantón. Para no llamar la atención, Zhou y su esposa llevaban un traje de tres piezas y un vestido de seda *qipao* (respectivamente). El general anticomunista Chiang sabía que se encontraban allí pero los dejó escapar, con toda probabilidad como compensación por la vez en la que Zhou lo había salvado a él de los izquierdistas violentos. Me dio la impresión de que habría disfrutado más de la historia si hubiese conocido mejor a los personajes implicados.

Miles me habló además del nacimiento de Julian, y luego de cuando había conocido a Florence. La mujer llevaba una elegante falda de tubo y dijo que trabajaba en el Banco de Inglaterra. Miles le había preguntado si era secretaria, y ella respondió que no, que era asesora en política y estaba ahorrando para hacer un doctorado.

—Tienes que perdonarme. Eran otros tiempos. En todo caso ella me perdonó —me dijo.

Y me pareció que tenía ganas de añadir que Florence le guardaba otros muchos rencores.

Desde que empecé a visitarlo tras la marcha de Julian, daba la sensación de que Miles soltaba cada vez más fragmentos de su vida familiar. Era injusto que eso pasara precisamente cuando mi mayor prioridad consistía en dejar de saber cosas sobre Julian.

Nos pusimos a escuchar una de las grabaciones de Nina Simone en Montreux, en 1976, «I Wish I Knew How It Would Feel to Be Free». Miles dijo que ese tema había sido un himno para el movimiento por los derechos civiles de los sesenta en Estados Unidos. Nina cantaba: ojalá pudiera decir todas las cosas que puedo decir cuando estoy tranquila.

No había nada positivo en intentar terminar de escribir el libro en esos momentos, dijo Miles. Por el contrario, procuraba prestarles más atención a sus estudiantes. En la Revolución de los Paraguas, unos años atrás, hubo un montón de universitarios, y esas cosas eran cada vez más necesarias.

—Entonces ¿quieres lavarle el cerebro a tu clase? —le pregunté.

—Sí. Mientras pueda...

—Los míos de ocho años están locos con las teorías conspiratorias. ¿Quieres probar con ellos?

Nina cantaba: «Juan Salvador Gaviota no me lleva nada de ventaja».[1]

Miré el reloj y conté quince minutos sin pensar en Edith, toda una marca personal. Aunque obviamente eso ponía el cronómetro a cero de nuevo. Miles me había preguntado qué había estado haciendo y no supe qué decirle porque todo el tiempo lo había pasado con Edith. No me importaba que Miles lo supiera, pero si le hablaba a él de Edith entonces quizá Julian se enterase. Y si él se enteraba de lo de Edith, tal vez Edith se enterase de lo de Julian. Y entonces Edith querría saber por qué le había estado mintiendo. Un «le miento a todo el mundo sobre todo» probablemente no le habría valido como respuesta.

(1) El relato *Juan Salvador Gaviota* es una fábula escrita por Richard Bach en 1970, en la que se hace una defensa de la libertad ante las normas establecidas. En la actuación de Montreux de 1976, Nina Simone cantó una versión un tanto especial del «I Wish I Knew How It Would Feel To Be Free» («Ojalá supiera lo que se siente siendo libre») con una parte de improvisación que incluye ese verso, «Jonathan Livingston Seagull ain't got nothing on me», toda una reivindicación de su propio inconformismo.

29

A mediados de junio, Edith me dijo que íbamos a aburrirnos («como personas normales», aclaró, una especificación que luego analicé rigurosamente) si nos limitábamos a acostarnos todo el rato. Le respondí que no estaba de acuerdo, pero que podíamos salir y tener citas si eso la hacía feliz. «Me hace feliz, sí», contestó Edith. Seguía estando tan poco acostumbrada a su franqueza que me vi arrastrada a admitir que a mí también me gustaba tener citas. «A mucha gente le gusta», añadió. Qué pena la gente a la que no, respondí.

Compramos algo de comer por la calle y apostamos a los caballos en la zona de Happy Valley. Me llevó a tomar un té de perlas a una calle larga y en cuesta llena de tiendas de alimentación, y se burló del tiempo que tardé en decidirme por uno y luego también de la elección que había hecho. («Si no me hubieses metido prisa quizá habría elegido mejor.» «Toda persona que opte por la "Poción de Amor Matcha", en cualquier plazo de tiempo dado, es una amenaza para la salud pública.») Intentamos (sin éxito, pero lo importante fue que lo intentamos) que superase mi miedo a las alturas en la noria de Hong Kong y en el teleférico de la isla de Lantau que pasaba sobre las montañas. En ambos casos, grité y le agarré la mano a Edith, me di cuenta de que eso era una cosa que hacían las parejas, y entonces me pregunté si otra gente haría cosas de parejas y también se cuestionaría su propia sinceridad al respecto. Pero, aunque todo el mundo hiciera las mismas cosas que hacíamos Edith y yo en las citas, decidí que para nosotras seguía siendo algo especial.

Un día fuimos al templo de Man Wo a pedir un deseo. En el techo, las espirales despedían humo de incienso. Nos pusimos delante de la urna, redonda y dorada como un cáliz, y le pregunté a Edith qué pedir. «Dime tú qué quieres», me dijo. Me reí y la besé en la mejilla.

La última semana de junio, Edith me preguntó cuándo iba a volver Julian.

—No lo sé. Julian es muy impreciso —respondí.

Habíamos estado de compras. Julian me había comentado que podía comprar más mantas después de decirle que me gustaba la que había en mi habitación. Compré cuatro con Edith, dos en espiguilla y dos de cuadros grandes, y las estaba colocando en el salón. Edith no había dicho demasiado sobre mis elecciones, lo que me hizo sospechar que las odiaba, y que Julian también las odiaría cuando volviese. Era injusto que los dos tuviesen mejor gusto que yo.

—¿Crees que las mantas son aburridas? —le pregunté.

—¿Impreciso en qué sentido? —dijo Edith—. Las mantas están bien.

Todo estaba ocurriendo en un tiempo robado y me acabaría pasando factura. Lo sabía. El deseo que pedí en el templo fue que Julian volviese y todo estuviese bien. Pero no lograba imaginármelo con ninguna precisión. Cerraba los ojos y veía a Julian saludando a Edith, y hasta ahí era capaz de llegar.

Siempre que Edith estaba ocupada, yo salía y recorría mi circuito de tiendas y centros comerciales, o me quedaba en la cama sin hacer nada. No estaba aislada. Mi trabajo implicaba un contacto humano continuo, así que apreciaba el tiempo en soledad. Aunque no conseguía relajarme del todo.

Esa noche le mandé un mensaje a Julian: te echo de menos. Fue una cosa muy extraña.

* * *

Quería mejorar mi caligrafía para darles un mejor ejemplo a mis alumnos. Encontré una fuente cursiva francesa en internet y me puse a escribir frases que incluyesen todas las letras del alfabeto: el veloz murciélago hindú comía feliz cardillo y kiwi, la cigüeña tocaba el saxofón detrás del palenque de paja; es extraño mojar queso en la cerveza y probar whisky de garrafa. Era como un castigo, aunque no sabía bien su porqué. Tras agotar mi suministro de pangramas, me puse a copiar sonetos de Shakespeare.

Mientras veíamos una peli en la cama, Edith le echó el ojo a una de mis transcripciones en un cuaderno que me había dejado en la mesita de noche. Dijo que tenía una letra preciosa. Me sentí mal por aceptar el cumplido, como si las letras de esa página no fuesen mías de verdad.

Aquella semana, mis niños de diez años estudiaron el «if» y el «whether». Yo sabía que en francés había que usar palabras similares cuando convertías una pregunta en una cláusula nominal, pero los dublineses no siempre nos molestábamos en hacerlo. A menudo decíamos: «I don't know will he come back», que era inglés pero mal expresado. Se suponía que, si no sabías si el hombre en cuestión iba a volver, tenías que decir: «I don't know *whether he'll* come back», o: «I don't know *if he will*».

Subrayé las conjunciones en las frases de ejemplo y luego puse a los niños a trabajar. Unos pocos terminaron pronto y empezaron a charlar en cantonés. Fingí no darme cuenta.

Ollie de Melbourne vino a pedirme prestado un rotulador de pizarra. Hablamos mientras los niños escribían. Con su mejor voz pedagógica, me dijo que las conjunciones eran criaturas engañosas. Tenían truco, aseguró, y curvó la mano al hacerlo, como si el truco estuviese ahí flotando y Ollie se hubiese propuesto atraparlo para mí.

Julian no había respondido a mi «te echo de menos». Pensé si de verdad lo echaba de menos o si solo quería sentirme poderosa afirmando algo sobre mí misma que no era cierto y que lo llevaría a pensar de forma engañosa que él estaba al mando. Con Edith no hacía cosas así, y no porque fuese más auténticamente yo cuando estaba con ella. La manipulación formaba parte de mi personalidad o, si no, no recurriría a ella. Pero Edith no la provocaba y Julian sí. No me gustaba quién era yo estando con él, aunque sentía que tenía que ser esa persona a veces porque era mala y yo también lo era.

—Estás muy callada, Ava —dijo Ollie.

Me lo soltó por algo, pero yo había desconectado. Le contesté que tenía muchas cosas en la cabeza.

* * *

Julian contestó al fin al mensaje en el que le decía que lo echaba de menos. Tardó tanto que casi se me había olvidado que se lo había enviado.

Perdona. Mucho trabajo. Yo también te echo de menos.

Sentí que traicionaba a Edith porque el mensaje me hizo sonreír, y luego que traicionaba a Julian porque era el típico mensaje que Edith me mandaba todos los días y aun así lo apreciaba más viniendo de ella que de él. Aquello contravenía todas las lógicas económicas. Asumiendo que mi demanda de mensajes bonitos fuese elástica, su valor debería aumentar allí donde fuesen más escasos. Pero a los que venían de Edith se les aplicaba una prima.

* * *

Edith y yo hablábamos mucho mientras lo hacíamos. Julian nunca había sido hablador en la cama, así que resultaba incómodo que yo lo fuese, como si estuviese malinterpretando lo que tratábamos de hacer. Con Edith, hablar formaba parte del tema: dejar caer palabras, exprimir palabras hasta que no podíamos más. Edith me dijo: sigue, nos queda mucho tiempo por delante. Cuando terminamos le comenté que esa frase había sido rara, y también un poco deprimente, como diciendo: no nos vamos a reprimir sexualmente porque aún estamos más o menos lejos del momento anticipado de nuestra muerte. Edith me respondió: a) que había querido decir que aún quedaban unas horas para el último tren, y b) que si íbamos a empezar a echarnos en cara frases coitales estrambóticas mejor ni hablar.

Seguimos manteniendo a Judy Garland en la estima que se merecía.

—He encontrado una foto suya con cincuenta y tantos años —dijo Edith—. Teníamos razón con lo del ceño de búho. Parece una persona imperturbable. Pero no con aires plácidos, sino como una señorona de armas tomar.

—Eso cuadra con su historia personal.

—Deberíamos visitar su tumba.

—Siempre eres muy mórbida después del sexo. No puedo evitar extraer conclusiones.

Mi «siempre» no tenía sentido para describir algo que solo llevábamos haciendo unas semanas. Vi que Edith registraba y aprobaba el efecto materializador de aquel comentario.

A veces me la imaginaba en Cambridge. No sabía por qué lo hacía. Mis ensoñaciones de cenas con Florence probablemente no fueran el tipo de cosas en las que pensaba la gente feliz, pero al menos tenían un propósito obvio. Lo de Cambridge no. Sin embargo, me gustaba ver el pelo oscuro de Edith con la nieve de fondo, o las escaleras por las que subiría, en torres de piedra, para ir a seminarios. Pensaba también en su vida en Hong Kong. Los Zhang organizaban grandes cenas los días festivos, y luego reconstruía el bufete de abogados a partir de sus similitudes con el banco de Julian. Nunca había visto el banco tampoco, pero le había pedido a Julian que me lo describiese.

A lo mejor estaba viviendo a través de Edith. Cuando la plantaba a ella en lugares elevados, era porque yo no podía ni siquiera sembrarme en sitios así y Edith era la mejor alternativa que tenía. Las aspiraciones indirectas no explicaban del todo por qué me había enganchado tanto a su vida, pero no podía llegar a nada más porque no me conocía a mí misma lo suficiente.

—En Irlanda me daba miedo —le conté mientras estábamos en mi cama—. Acostarme con hombres.

En realidad le estaba diciendo que «te echo de menos» significaba más viniendo de ella que de Julian. Nadie hubiese podido esperar que Edith fuera humanamente capaz de hacer esa conexión, y por eso pude decírselo.

30

El último domingo de junio, compramos unas ensaladas en el Marks & Spencer y fuimos en autobús a la playa de Tai Pak, en Discovery Bay.

Me gustaba montarme en el microbús con Edith. Era un vehículo verde y blanco y nos daba unos meneos bruscos. A Edith se le llegaron a caer las gafas de sol en una curva. Una noche, no había botón y tuvimos que gritarle al conductor para que parase. Edith practicó el cantonés conmigo antes (*bus-ee jau m'goi*) y luego me hizo gritarlo y se echó a reír porque me equivoqué con los tonos.

En la playa hacía calor. Tres señoras mayores se sentaron cerca de nosotras en unas hamacas plegables con una sombrilla plantada en medio. Le pregunté a Edith de qué estaban hablando y me dijo que hablaban en hakka, así que no se enteraba de mucho. La abuela de Edith, de Singapur, era hablante nativa de hakka y aseguraba que no hacía falta saber ningún otro idioma en Hong Kong. Había algunos desafortunados que no lo hablaban (en realidad eran un montón y quizá más de los deseados), pero la señora Tan dudaba de que rebajarse a su nivel pudiera ayudarlos a mejorar ni lo más mínimo.

—Mi abuela es básicamente la versión hakka de un expatriado británico.

Fui consciente de que luego iba a apropiarme de ese comentario, a reacondicionarlo y a mandárselo a Julian. Seguirles el ritmo a los dos requería un buen esfuerzo, aunque las similitudes entre ambos otorgaban a la empresa una cierta economía de escala. No solo podía obsequiarlos con mis propios comentarios repetidos, sino que además el uno disfrutaba de los comentarios del otro sin darse cuenta de que yo se los había robado.

Edith me pidió que le enseñara irlandés. Cuando repetía mis frases, no las decía con su acento normal, sino con una entonación sinófona. Afirmó que a lo mejor daba igual cuántas lenguas aprendieses, porque siempre tendrías el sabor de la primera.

—De todos modos, dentro de cincuenta años estaremos todos hablando mandarín —le dije—. Si haces caso de lo que cuenta Julian. Según él, la mayoría de sus clientes son ahora mismo de la China continental.

—¿Por qué han seguido trabajando con él?

—Es muy alto.

Edith dijo que le recordaba a un chico de su bufete con el que salía a correr. Era un capullo sobrepronador, añadió. La sobrepronación consistía en ladear los pies demasiado hacia dentro al apoyarlos en el suelo. Ser un capullo consistía en tener una personalidad como la de ese tipo.

—¿Y por qué vas a correr con él? —le pregunté.

—Trabajamos en el mismo equipo en el bufete, así que es eso o salir a beber cervezas con él.

Edith sabía hacer que la mayoría de las palabras sonasen cortantes y «cerveza» era una de ellas.

—¿Crees que está pillado por ti? —le dije.

—Nunca les gusto a los hombres —respondió en tono complaciente.

—Creo que a Julian podrías gustarle, cuando vuelva. Tendré que advertirle de que eres lesbiana. ¿Te he enseñado a su ex?

Estuvimos mirando fotos de Kat. La pantalla brillaba al sol. Edith dijo que Kat era preciosa y se preguntó cómo demonios la había convencido Julian para salir con él.

—Aunque no lo conozco, así que no debería ser cruel —matizó, y no necesariamente en tono arrepentido.

Entonces me preguntó si creía que algún día me iría de Hong Kong.

Las señoras hakka estaban mirando, así que me limité a acariciarle la mano.

—Podríamos irnos juntas. En Londres hay bufetes de abogados —le dije.

—He oído que van a congelarse las contrataciones. Por el Brexit y todo eso. ¿Y Londres por qué?

—No sé. Parece un sitio habitable.

—¿Porque está lejos de tu familia?

—Puede ser.

—Me da la impresión de que te gusta tener tu espacio.

No podía responderle: en Dublín todo el mundo me odiaba, hasta tal punto que terminé por odiarme a mí misma, y me vine aquí para intentar cambiar eso y más o menos ha funcionado aunque no del todo. No creía que Edith fuese a entenderlo. Además, no estaba segura de si era cierto siquiera que todo el mundo me hubiese odiado. Lo había sentido así, pero a lo mejor le pasaba a toda la gente a esa edad.

Edith volvió a un documento que tenía abierto en el iPad, y yo me puse a pensar en lo que le había dicho respecto a irnos juntas. Me había salido sin más. En realidad, nunca me había parado a pensarlo mucho. Apenas me daba para pensar en lo que podría ocurrir cuando Julian regresase, mucho menos en el después. Pero sí nos veía a las dos viviendo en algún sitio muy ordenado, sin que ninguna de nuestras familias se enterase nunca. Lo peor sería que la suya lo supiera pero la mía no. Eso le daría más poder a ella: podría hablar con su familia de mí. Entonces me sentí como una persona horrible por querer que la relación de Edith con sus padres fuese tan reservada como la mía para así estar a la par. Me pregunté si otras personas también se veían obligadas a expeler conscientemente pensamientos como aquellos o si, de entrada, ni siquiera los tenían. De todos modos, era presuntuoso pensar en esas cosas. Probablemente lo estuviese gafando todo.

Aquella noche, en el piso de Julian, dije:

—¿Es verdad que hay montones de lesbianas en los internados?

—Si las hay, no lo dicen —respondió Edith—. Los profesores estaban tan preocupados de que no hubiese suficiente heterosexualidad obligatoria que nos hacían relacionarnos con los niños de Eton.

Estuve a punto de decir que a lo mejor se había encontrado con Julian, pero recordé que él ya había empezado en Oxford cuando Edith había llegado al Reino Unido.

—En mi promoción tampoco salió nadie del armario. Le habrían cerrado la puerta en la cara —comenté.

Edith me miró como si no supiera si estaba de broma. Yo

tampoco lo sabía seguro. Más allá de los hombres, había otras razones para explicar mi infelicidad en Dublín.

A la mañana siguiente, fuimos paseando hasta el parque de Sun Yat-Sen. Edith me preguntó cómo podía hacerse mi novia. Me dijo: «¿Hay algún procedimiento?».

* * *

Julian me mandó un mensaje desde Londres hablando de la situación política de Hong Kong. Sabía más que yo. Me preguntó si me había enterado de que el Tribunal Supremo había ratificado el derecho a beneficios conyugales de un funcionario gay. Quizá el asunto llegara al Tribunal de Apelaciones, pero en cualquier caso era ya un punto de inflexión. En su banco había un australiano fuera del armario; hongkoneses, ninguno que él supiera. A lo mejor las cosas cambiaban. Durante esa conversación me sentí especialmente agradecida de no tener que andar poniendo caras.

Le pregunté cómo se había encontrado Inglaterra al volver. Escribió:

> Mi madre se alegra de que esté aquí. Se alegraría más si dejase el trabajo pero ya ha aceptado que no voy a hacer eso. Algunos se han casado, aunque debería ser una cosa ilegal. No sé por qué una persona iba a enorgullecerse de encontrar a alguien. Es estadísticamente más probable conseguirlo que no, sobre todo si bajas el listón. Y uno de Balliol va a tener un hijo. Supongo que el mundo necesita que la gente tenga hijos.

Elegíamos qué compartir. Al redactar, iba reduciendo mi vida, quemaba grasas, afilaba bordes. El proceso de edición me permitía vetar *a posteriori* los momentos dolorosos, aburridos o irrelevantes que vivía. Inevitablemente, Julian seleccionaba lo que me contaba, y eso también me hacía feliz. Juntos estábamos construyendo algo pequeño y preciso.

Había una parcela de mi vida sobre la que yo no le hablaba y que no era ni dolorosa, ni aburrida ni irrelevante, pero tenía otros motivos para excluirla.

31

Edith me llevó a conocer a su familia el penúltimo día de junio.

—¿No será raro? —le dije—. Doy por hecho que aún no saben nada.

Edith me respondió que no había problema. Sospecharían mucho más si creían que les estaba ocultando mi existencia.

—Aparte, ha pasado más de un mes. No puedes no conocerlos —añadió.

El hecho de que «más de un mes» nos llevase a Edith y a mí al terreno de conocer a las familias, mientras que con Julian había estado meses antes de que él mencionara siquiera a Miles, me decía todo lo que necesitaba saber sobre salir con mujeres lesbianas frente a salir con hombres heteros.

El piso de los Zhang estaba en Happy Valley, una zona residencial de la parte alta de la ciudad que yo había acabado por asociar con casas de gente rica. Los suelos eran traicioneros de lo pulidos que estaban. Había pinturas al óleo apoyadas en las paredes, como si los Zhang las hubiesen comprado por capricho y antes o después fuesen a decidirse a colgarlas. En las estanterías y en mesitas se veían figuritas sencillas: cisnes, sementales, alces. Edith me explicó que el señor Zhang había sacado de algún sitio la idea de que la señora Zhang coleccionaba porcelana. No era así, y la mujer le echaba la regañina por no acordarse nunca, pero de todas maneras las tenía expuestas para que la gente viese que su marido era detallista.

Encima de la televisión había una fotografía grande enmarcada de un bebé con una toga y un birrete. Supuse que sería Edith en una ceremonia de genios infantiles, pero me dijo que era su hermana en la graduación de la guardería, que todo el mundo pasaba por eso; menos Edith, que había vomitado en el coche y se había negado a entrar. Al final del día, la señora Zhang había llevado a Edith a ver a la directora para que le ofreciese una disculpa por su ausencia, ensayada de antemano. La señora Shek había entornado los ojos y había dicho: «Gracias, Edith... Pero no era necesario, señora Zhang», y el camino de vuelta a casa la señora Zhang se lo había pasado repitiendo «¡Que no era necesario!», alternándolo en ocasiones por un «¡Innecesario!» en aras de la textura silábica.

Nos pusimos a ver la tele. En la pausa de los anuncios, Edith leyó en alto publicaciones de su amiga Audrey, una *influencer* de corto alcance. Audrey enseñaba a veces el monedero de su novio en los *flatlays* de sus *brunches*, pero nunca la cara. Así cuando cambiaba de novio podía mantener la marca.

Reflexionamos sobre los heteros.

—Son como los osos panda —dijo Edith—. Te da pena

verlos en el zoo, pero si les abres la jaula se quedan ahí, masticando bambú.

—Sabes que no hay nada intrínsecamente radical en el hecho de que seamos dos mujeres, ¿no?

—No, intrínsecamente no. —Como diciendo: reto aceptado. Y añadió que su madre volvería pronto—. No digas nada del *lifting*.

Entró la señora Zhang. Yo no dije nada del *lifting*. Venía de comprar comida con su asistenta, Cristina, que era una cabeza más baja que todos ellos y llevaba una camiseta y unos pantalones cortos de deporte. La señora Zhang le dijo a Edith que estaba engordando y luego le ordenó a la criada que nos hiciera unas empanadillas hervidas. La vajilla de porcelana estaba pintada con hojas y flores. Mientras comíamos, Cristina se quedó allí de pie para rellenarnos el agua. Edith y la señora Zhang actuaban como si eso fuese normal, así que yo hice lo mismo. Está bien saber esto sobre mí, pensé. Está bien saber cómo me comporto en esta situación.

La señora Zhang nos habló de la gala benéfica de la noche anterior y después miró a Edith, que le preguntó obediente si habían ido los de la *Tatler*. «Puede ser», dijo la señora Zhang, mirando hacia arriba, como si hubiese percibido el espectro mismo de esa revista.

No me prestó mucha atención. Me preguntó a qué me dedicaba y cuando le respondí que daba clases de inglés como lengua extranjera ya no tuvo más preguntas que hacerme. Lo agradecí. Las dos nos habríamos sentido avergonzadas si ella hubiese fingido interés por alguien con tan poco éxito como yo. Durante un instante, contemplé la idea de levantarme, tirar del mantel, ver la vajilla caer sobre el regazo de la señora Zhang y gritarle que no tenía ningún derecho a crearle complejos a Edith. Pero aquel no era mi sitio.

Después de cenar, la señora Zhang nos enseñó las fotos de su boda. Ahí pude ver su parecido con Edith más claramente, bien porque tenían edades similares o porque el rostro de la señora Zhang aún estaba libre de la intervención quirúrgica. El señor Zhang era apuesto y llevaba unas gafas de montura gruesa muy ochenteras. Parecían una pareja bendecida por el destino, como los protagonistas de una foto en un libro de historia retratados antes de hacerse famosos.

El señor Zhang estaba pasando el día en Cantón. Edith me dijo que lo conocería pronto, y a su hermana Gabrielle, y a su hermano Angus cuando volviese de Nueva York, y a sus abuelos en algún momento, y entonces habría conocido a todos los Zhang.

* * *

La noche siguiente, Edith y yo fuimos a ver *Vampire Cleanup Department* al cine de Paterson Street. El argumento giraba en torno a Tim Cheung, un estudiante hongkonés que se quedaba huérfano después de que a sus padres les mordiesen en una misión antivampírica. Como dijo Edith, la peli cumplía las funciones de un film de serie B y si esperabas otra cosa era porque no entendías nada.

La luz de la pantalla brillaba recortándole el perfil. Tenía los labios entreabiertos y el cuello largo y pálido como el filamento de una orquídea. Estuve a punto de alargar la mano y tocarle la cara, pero parecía tan quieta en aquel momento suspendido que no quería que se encogiese. Gesticulé con la boca: eres preciosa. Y luego: te quiero. Edith rompió su pose para soltar una risita cuando un personaje se tragó el iPhone del protagonista. Yo también me reí. Nuestros ojos se cruzaron y no pudimos parar. Alguien tosió intencionadamente desde varias filas más atrás y eso solo nos encendió de nuevo. Edith se tapó la boca con las manos. Lo hacía siempre que algo le parecía gracioso de verdad, pero no cuando solo se reía para ser educada. Me gustaba saber eso de ella.

Eran las dos de la madrugada cuando salimos. Ninguna necesitó decir en voz alta que íbamos a caminar en vez de montarnos en un taxi para poder hablar de cosas en privado bajo el aire nocturno.

—Gracias por... Bueno, eso, por lo de mi madre —me dijo Edith.

—¿Por qué?

—Por cómo lo llevaste.

—¿Llevar el qué?

—A ella, en general. Es muy maleducada con Cristina y yo no hago nada, como si así fuese a ser menos incómodo. Aunque de todas formas no es una cuestión de habilidades sociales. No existe una sola manera de tratarla que pueda validar sus condiciones laborales.

—¿Las condiciones laborales no forman parte de cómo tratas a la gente? —pregunté—. Por eso odio a Benny. No es que no pida las cosas amablemente, es que en realidad no las pide.

—Cierto.

Giramos a la derecha en Yee Woo Street y pasamos junto a tiendas baratas de perfumes y remedios. Cuatro brutos australianos caminaban delante de nosotras en paralelo, con pasos pesados. Acordamos en silencio bordear la empalizada. Uno de ellos le silbó a Edith. Ella siguió andando ligera, como rechazándolo en la categoría de personas a las que estuviese dispuesta a prestar atención.

—A veces me imagino la conversación en la que se lo cuento a mi madre —dijo Edith—. Cuando no puedo dormir por las noches repaso el guion.

Como muchas de las formulaciones de Edith, aquello sonó a algo levemente ensayado, y me pregunté si yo le daría a ella esa misma impresión de necesitar prepararme las cosas. Quise decirle que no era necesario, pero pensé que eso solo la cohibiría aún más. En otro plano, me gustaba poder provocar vergüenza en una persona tan perfecta como Edith. Podía hacerle daño. No quería, pero podía.

No me hacía falta saber cómo llevaban otras mujeres lo de estar juntas. En nuestro caso, veía claro cómo sería siempre: paseos por ciudades, risas por cosas que no eran tan graciosas.

A unos metros del Shanghai Commercial Bank había una casa de empeños Yun Fat. Pertenecía a una cadena. Había visto otra en Wan Chai. No tenía escaparate, pero se distinguían unos colores imprecisos a través de la puerta de cristal esmerilado. Al final de Pennington Street nos cruzamos con la sede de la Iglesia congregacional china y con una valla publicitaria gigantesca de Armani. Esperamos en el semáforo y luego avanzamos junto a la multitud hacia Leighton Road. Edith caminaba con tal nivel de dominio que me quedé un paso por detrás para observar sus movimientos. Llevaba unos zapatos planos en punta de ante rojo. En un lugar más privado, los habría oído resonar contra el cemento.

32

Julio

Mi padre había ido a Nueva York a visitar a la familia de su hermana. Mi madre me dijo que me mandaba muchos besos. Me resultó extraño, porque no era que su estancia en Estados Unidos de repente me estuviese privando de su compañía. En todo caso, Nueva York probablemente quedara más cerca de mí que Dublín. Mientras mi madre hablaba, le mandé un mensaje a mi novia, Edith, con la que estaba saliendo.

—Perdona que no llamase anoche —dije—. Fui a cenar con una amiga.

—¿Qué amiga? —preguntó mi madre.

—No la conoces.

La suposición de mi madre de que conocía a cualquier amistad mía había empezado ya en el parvulario y, aparentemente, había seguido en vigor incluso después de mudarme de continente.

—¿Cómo se llama?

—Edith.

—¿Y es de Hong Kong?

Como Edith era una de las pocas personas de Hong Kong de las que le había hablado, mi madre sintió una curiosidad desproporcionada por ella. Evité desvelar que era abogada en gran parte por lo mismo por lo que me había arrepentido de mencionar que Julian era banquero. Dado que no le había contado a mi madre que Edith era mi amiga cuando éramos amigas y la estaba llamando amiga entonces que éramos novias, probablemente la anunciase como mi novia cuando nos hubiésemos casado.

Me arrepentí de permitirme pensar tan a largo plazo.

—¿Ava?

—Perdona, ¿qué?

Mi madre me regañó por soñar despierta y me repitió que Tom había empezado unas prácticas en un banco.

—Bien por él —dije.

—Es un chico muy listo, Ava. —Como si eso tuviese algo que ver—. Tu padre está orgulloso de él. Y George te echa de menos. —Este comentario llegó adjunto como si fluyese naturalmente de lo anterior—. No lo dice, pero así es él. Se lo guarda todo. Tu padre es igual. Les darías la vida si vinieras de visita.

Mi madre no pedía cosas por ella misma.

—Lo pensaré —le dije.

Sabía que les debía una semana de visita, pero quería esperar a que regresara Julian. Uno de los dos tenía que estar en Hong Kong para anclar nuestro vínculo. El piso estaba a una altura considerable sobre el nivel del mar, más cerca del agua amasada del cielo que de allí donde podían crecer raíces, así que necesitaba una presencia constante. Si me marchaba, todo entre nosotros quedaría a la deriva. O peor: permanecería allí, pero yo no lo vería.

—Y esa Edith —siguió mi madre— puede venir también y quedarse con nosotros.

Sería todo un espectáculo: las piernas larguiruchas de Edith colgando del sofá, Edith vistiéndose antes de que nadie se levantara para que no nos avergonzáramos al verla en pijama. Esa Edith. Aunque ya me había dicho que no se llevaba bien con el frío y que su temporada en Cambridge había sido una prueba espiritual. Una prueba espiritual muy cara, aseguró Edith.

—Gracias —le dije a mi madre—. Se lo haré llegar. Tengo que colgar pronto.

—Está aquí Tom. ¿Te lo paso?

Cuando lo hizo, me pareció cansado.

—¿Cómo va todo? —me preguntó.

—Genial. Mamá dice que ahora eres banquero.

—Ni de coña. Estoy en el Banco de Irlanda, ya está.

—¿Y qué haces?

—Un mojón, pero me quedo hasta tarde y da la impresión de que he estado trabajando.

—Bueno, así te dejas ver entre los jefes —le dije, en un tono que insinuaba que había sacado esa reflexión de mi entorno natural y no de Julian—. Espero que mejore la cosa.

Había una chica en el trabajo, me contó Tom, aunque no era nada aún. Estaban viendo. No intenté averiguar qué era lo que todavía tenían que ver. Me preguntó por Julian con un grado de escepticismo que me pareció descarado en un hermano menor. Le conté lo de Edith, no que era mi novia, sino que era una persona importante en mi vida y que me gustaría que la conociese. Me dijo que le parecía más maja que Julian.

—Te echo de menos —le dije—. Tengo que colgar ya.

—Venga, vale. Ve contándome cómo va lo de Edith.

* * *

A veces los niños me hacían preguntas sobre mi vida. Los más pequeños querían saber si dormía en la escuela y si Irlanda era lo mismo que Inglaterra. (Los amigos banqueros de Julian muchas veces se habían mostrado igual de confusos a este respecto.) Los más mayores me preguntaban si tenía hijos. Esta pregunta me parecía espeluznante, pero sabía que en torno al diez por ciento de mi sueldo era para proyectar un aura de criadora, así que me limitaba a sonreír y a decir que no. Cuando me preguntaban por hombres, caía en que muchos de sus padres no habrían querido que les diese clases si hubiesen sabido lo de Edith. Probablemente algunos de los propios alumnos fueran lo bastante mayores para no quererme tampoco de profesora en ese caso. Yo tampoco me habría querido de profesora, aunque no por tener novia.

33

Edith cumplió veintitrés años el 5 de julio. Utilicé la tarjeta de Julian para comprarle un par de guantes de cuero guateado. A él le escribí contándole que eran para mí y le consulté si comprarlos en negro o en color coñac. Me respondió: «No me puedo creer que pienses que tengo una opinión sobre eso». Luego, a los cinco minutos: «Coñac».

Esa noche, Edith me llevó a una cena con más gente en Connaught Road. Sus amigos eran todos de nuestra edad y en su mayoría mujeres. Cyril Kwok y Tony Ng llegaron juntos y le dieron a Edith un regalo común. Edith ya me había comentado que algunos padres hongkoneses eran más liberales que los suyos.

Me pregunté si habría alguien allí que supiera que estábamos saliendo.

El restaurante era de enladrillado visto rojo y en las cartas, enganchadas a tablillas, se detallaban todos los elementos como «artesano», «percolado» o «deconstruido». Se habían equivocado con cuántos éramos. Edith lo arregló para que colocasen otra mesa en el extremo de la nuestra y luego, con indicaciones briosas, nos dijo a cada cual dónde sentarnos. Era una conversadora vivaz y utilizaba estrategias personalizadas para conseguir que todo el mundo participase. Dijera lo que dijese yo, sentía que la gente solo me escuchaba porque respondía a una pregunta que había planteado Edith. Nos sirvió el agua ella misma.

Al final has sido tú el primero en conseguir a un hombre —le dije a Tony.

Edith me había puesto a su lado.

—Los hombres son fáciles. Las mujeres, complicadas —me respondió.

Creí verlo sonreír.

La comida llegó en platos de pizarra, con los condimentos en tazas de expreso de arcilla. Muchos de los rostros me resultaban conocidos por el Instagram de Edith (cosa que podría decirle a ella más tarde, pero obviamente tenía que ocultarle a la gente en sí). Todos eran hongkoneses. La mayoría habían estado en el internado con Edith y se habían quedado en el Reino Unido para la universidad, mientras que otros se habían ido a Estados Unidos o habían regresado a su país. Tenían ese tipo de acentos ingleses que ponían nerviosa a mi madre.

Tony y yo nos pusimos a hablar con Clara, que enseñaba yoga en un estudio cerca del International Financial Centre. Era un buen sitio. Los banqueros pagaban recargos por ubicación, y si alguien tenía carestía en el frente zen eran los financieros hongkoneses.

—Ava —dijo Tony—, ¿no es un rollo hacer algo tan neocolonial como enseñar inglés aquí?

—Sí, pero en otro sitio no van a contratarme.

—Te encontraré algo —me respondió.

Compartí entonces la valoración de Edith sobre las habilidades de Tony para fingir no ser rico.

—Aquí no hay nada para mí. Soy una persona blanca sin nada que ofrecer —le dije.

—Ninguno tenéis nada que ofrecer, pero tú me caes bien —añadió él en tono amistoso.

Me disculpé cuando después de los postres pidieron más bebidas. Me preocupaba que Edith se molestase, pero decidí que sería más embarazoso para ella si me quedaba y no contribuía en nada a los debates, que parecían volver siempre sobre gente que el resto conocía y yo no.

Acababa de meterme en la cama cuando Edith me llamó para decirme que necesitaba que fuese a pagar la cuenta.

—¿Cómo? ¿Que vaya al restaurante?

—No, a TST. Nos hemos venido de copas. Me dejé las tarjetas en casa porque pensaba que si salía con quinientos solo me gastaría quinientos.

—¿Cuánto es?

—Te lo he dicho, me he venido de copas. Y Holly solo puede pagar la mitad.

—Edith, ¿dónde estás? ¿Cuánto es?

—En este bar de LKF.

—Has dicho que estabas en TST.

—LKF.

—¿En qué bar?

—Joder, te lo enseño en el Maps.

—No puedes enseñármelo, Edith, no estoy ahí a tu lado.

—Pues te mando una captura.

El bar se encontraba al final de D'Aguilar Street, arriba. Me llevé la tarjeta de Julian, agradecida de que no me hubiese especificado de quién debían ser los disparates que estaba destinada a cubrir. Cuando llegué donde estaba Edith, la amiga también se había largado y había dejado dinero suficiente para pagar la mitad de la cuenta. Pensé que seguramente habría podido asumirlo todo y deseé que alguien la hiciese salir de la cama sin necesidad en un futuro cercano. Edith tenía los rizos aplastados. Se le había bajado uno de los tirantes del vestido. En cuatro meses que hacía que la conocía nunca la había visto tan borracha. En las paredes, unas luces de neón expelían citas en mayúsculas: «EL NIÑO ES EL PADRE DEL HOMBRE; EL SILENCIO ES MÁS MUSICAL QUE CUALQUIER CANCIÓN».

Edith vio el nombre en la American Express y me pidió que le diera a Julian las gracias de su parte.

—No tiene por qué enterarse —respondí—. Le diré que salí con un amigo que creyó que eso significaba algo que no era y pagué todas las copas para dejarlo claro.

—O puedes contárselo y ya.

—No hace falta.

—¿A Julian no le importa que te gastes su dinero? —No parecía preocuparle que aquella pudiera ser una pregunta insolente viniendo de alguien que en esos momentos no era capaz de sostenerse la cabeza sin la ayuda de ambas manos—. Es que solo sois compañeros de piso.

—En realidad, le preocupa que no me interese demasiado su dinero. —No era forzosamente algo que hubiese detectado en él, pero sí había posibilidades de que fuera cierto y me parecía interesante contárselo a una tercera persona—. No quiere caerle bien a nadie solo por ser él. No sabría qué hacer con esa información.

Me pregunté por qué había dicho eso. Yo no estaba borracha.

Paramos un taxi. Edith intentó hablar con el taxista, que

la ignoró en cantonés. «Un chino», dijo, poniendo los ojos en blanco, y negoció nuestro trayecto hasta Mid-Levels en lo que di por hecho que sería mandarín. Me dio miedo preguntar si creía que su padre era un tipo de chino distinto. Delante del bloque de pisos de Julian, Edith se quitó los tacones y me pidió que le llevase uno. No estaba segura de por qué se veía capaz de cargar con un tacón y no con los dos, pero me pareció poco productivo preguntárselo. El complejo estaba casi vacío. Edith se quejó de que el cemento le hacía daño en los pies, así que descansamos un rato en un trozo de césped del patio.

—No es justo —dijo Edith—. Yo estoy muy enamorada de ti y tú no quieres quedarte en Hong Kong.

—Sí quiero. Siempre te digo que me gusta estar aquí.

—Y yo siempre lo digo todo primero. Te pedí que fueras mi novia hace un par de semanas y ahora te he dicho que estoy enamorada primero y tú ni siquiera te has dado por enterada.

—Gracias, Edith. Gracias por decir que estás enamorada. Yo también lo estoy.

Y lo decía en serio. Eso me sorprendió: en Dublín nunca había podido decirle con sinceridad a una persona que estaba enamorada después de llevar tan poco tiempo saliendo con ella. Pero allí sí había sitio para sentir eso.

—Vale —dijo Edith.

—¿Con cuánta frecuencia te emborrachas tanto?

—Estás obsesionada con Julian.

Yo también había pensado lo mismo alguna vez, con esas palabras exactas, y me había preguntado si se lo iba a decir a Edith en algún momento. No respondí.

—Siempre estás preguntando qué pensaría Julian de todo —continuó—. Claramente no tienes interés en arreglar nada para evitar que haya problemas si alguna vez deja de pagarte el alquiler. Aparte, eso Julian ¿por qué lo hace? Suena a que es un bicho raro y rico, y sabes que se cansará de ti antes o después, porque los bichos raros y ricos son personas aburridas de por sí. Lo único depravado en ellos es el dinero. —Hablaba rápidamente y sin mirarme demasiado, como si ya antes se hubiese dicho todo eso a sí misma ante un espejo—. Y te da dinero. ¿Por qué? ¿Quién le presta una American Express a su compañera de piso, así tal cual? ¿Y por qué iba a pedirte Julian que no metieses a gente en la casa? No creo que estés interesada en llevar una vida en condiciones. Y eso es arrogante, la verdad, porque esperas que otra gente te ayude a llevar una existencia con la que ni tú misma eres capaz de entusiasmarte. Pero bueno, no te lo tomes como algo personal. Solo lo comento.

—Llevas un buen pedo —le dije—. Pero de todas maneras estoy enamorada de ti.

—Mi familia está decepcionada conmigo. Intentan disimularlo, pero yo me doy cuenta.

Arriba en el piso, hice que Edith se lavase los dientes. Me dijo que quería ponerse un albornoz. El mío estaba en la lavadora, así que le presté el de Julian, que le colgaba como un vestido de gala en su complexión de metro y medio. En el muslo empezó a salirle un moratón azulado. Me dio las gracias por pagar la cuenta. Le contesté que en realidad me gustaba bastante la idea de que Julian viese ese gasto y pensara que me estaba divirtiendo sin él. Entonces Edith dijo otra vez que estaba enamorada de mí y yo se lo repetí también, pensando en lo aprensiva que se ponía alguna gente con la idea de llevar una bata ajena mientras que para otras personas era como llevar un abrigo prestado sin más.

Nos sentamos en el sofá y Edith se apoyó en mí.

—Tu familia no está decepcionada contigo —le dije—. Nadie está decepcionado contigo. Eres una persona increíble.

—Gracias.

No tenía ninguna autoridad para decir eso sobre su familia. Solo había conocido a la señora Zhang y no sabía cómo era la dinámica familiar interna. Aun así, Edith parecía contenta. Se acurrucó más cerca de mí. Sentí ganas de abandonar todas las demás cosas que hacía para intentar ser feliz y sencillamente pasarme el resto de la vida buscando todo lo que Edith necesitara escuchar, y decírselo.

34

Al día siguiente, en el trabajo, me entró una tos que interrumpía todas mis frases. Joan me dio una mascarilla color verde menta. Le dije que no la necesitaba y me respondió que si los padres me veían toser sin mascarilla se preocuparían de que pudiera contagiar a sus hijos. En el almuerzo miré en Google y descubrí que, si acaso, la mascarilla lo que hacía era aumentar las probabilidades de criar gérmenes al acumular aire caliente. Esos conocimientos de médicos virtuales no le interesaron nada a Joan. «Ponte la mascarilla», me dijo. Pensé en pedir una baja por enfermedad, dado que estaba enferma, pero me di cuenta de que Joan no estaba de humor para soportar mis gracias.

Los niños de doce años habían llegado al aspecto perfecto, pobres criaturas. Acababan de pillarle el truco al tiempo pasado y el continuo sería el siguiente, si sobrevivían. El presente perfecto es cuando la acción ha continuado hasta el presente, como en la frase «han estado juntas». El presente perfecto continuo es cuando la continuación se ha estado manteniendo, como en la frase «han estado follando». El pasado perfecto es cuando: a) la acción continuó hasta un momento del pasado, por ejemplo, «habían estado viviendo juntos»; o: b) fue una acción importante en el pasado, por ejemplo, «había pensado que lo quería hasta que la conocí». Había más, pero mi tráquea lo obstruyó.

—Señorita, ¿está usted enferma? —dijo Eunice Fong.

No sabía con seguridad si se me permitía responder que sí.

Dublín también tenía su propia interpretación del aspecto perfecto. No estaba segura de cómo llamarlo, pero cuando usabas «after» para decir que habías terminado de hacer algo, eso significaba que lo acababas de hacer pero no esperabas que tu interlocutor lo supiera. «I've just fallen in love»: me acabo de enamorar, pensábamos que podía pasar y ha pasado. «I'm *after* falling in love»: me acabo de enamorar y mira, no creía que en el hueco de este puerco pecho hubiese un corazón, pero aquí estamos. Usar «*only* after» era añadir exasperación a lo que había ocurrido, como cuando aparecía barro en la alfombra nada más acabar de pasar la aspiradora o perdías a una persona nada más acabar de encontrarla.

Julian y sus amigos usaban «after» cuando querían decir que iban detrás de algo. Iban detrás de unas bonificaciones, o de unos clientes, siempre pisándole los talones a lo que deseaban. Pero nunca lo utilizaban para mirar atrás, a algo que ya hubiesen hecho. Mi compasión se limitaba mucho, en vista de quiénes eran, pero pensé que a lo mejor eso explicaba por qué no eran personas felices.

Ollie de Melbourne se había ido de Hong Kong sin avisar para evitar pagar los impuestos sobre la renta. Era algo que solían hacer los profesores de inglés para extranjeros. Su sustituto, Derek, venía de Limerick. En una reunión de personal para darle la bienvenida, Joan nos informó amablemente de que los dos éramos irlandeses. Madison comunicó que ella era de Dublín, del condado de Erath, Texas.

—¿Texas Texas? —dijo Derek.

—Es estadounidense —respondió Joan.

—Qué raro es que todos los irlandeses se vayan de Irlanda —comentó Madison—. Hay tanto verde... Y tenéis el mejor acento del mundo. Ay, me hice una foto (un momento, voy a buscarla) echando el rato con Molly Malone. Ella ahí, con su carretilla... Y aquí estoy poniéndome fina en la Guinness Storehouse. Menuda pinta con las pintas, jeje. Desde luego, soy una alcohólica. A lo mejor soy irlandesa sin saberlo. ¿Y no tenéis ahora un presidente gay? Todavía no puedo creerme que tuviera que irme de allí y solo estuve tres días. ¿Qué os pasa a los irlandeses con Irlanda?

—¿Sabes que no podemos abortar? —le dije.

No siempre tenía la sensación de ser la persona irlandesa favorita de Madison.

* * *

Estaba tan enamorada de Edith que sencillamente me parecía sensato preocuparme por perderla. Era complicado apostar tantísimo por una persona y no pensar de vez en cuando en qué harías sin ella. Analicé las contingencias y llegué a una conclusión: nada. En el sofá o en la cama, evaluaba diversas situaciones en las que Edith me dejaba y decidía cuál sería mi consiguiente estrategia: ninguna. Subiendo y bajando las escaleras mecánicas, recorriendo el aula fría y húmeda: si Edith le ponía fin, sería mi fin también. A veces me parecía bien, algo normal, y otras apretaba lo que tuviese entre las manos hasta que me dolían los dedos. Cuando eso ocurría, le mandaba un mensaje a Julian. Edith no existía en el espacio que compartía con él, lo cual me permitía volver a calmarme. Escribía: la gente tiene demasiados sentimientos, es bochornoso. Julian estaba de acuerdo. Inmersa en mi dinámica con él (en cuarentena entonces), me sentía segura. Julian me había hecho infeliz, pero me vería en un escalón de tristeza mucho más hundido si Edith me abandonaba. Con ella experimentaba subidas concomitantes. En ocasiones sentía que también me escondía de ellas cuando hablaba con Julian.

35

Li Hongzhang, un general chino de la dinastía Qing tardía, afirmó no entender por qué los europeos adoraban a Jesucristo. No veía cómo alguien podía ir tras un salvador cuya vida había sido un fiasco tan enorme que había terminado crucificado, una muerte dolorosa y un castigo además degradante.

Esa historia me la contó Miles. Luego yo se la expliqué a Julian por teléfono.

—En parte tenía razón el bueno de Hongzhang —dijo Julian—. Dudo que a Warren Buffett lo fuese a clavar nadie en una cruz.

—¿Darías tu vida por algo? —le pregunté.

—No veo qué ventajas tendría hacerlo. A no ser que seas de las que creen que colocar a todos los banqueros en fila contra una pared convertiría automáticamente el mundo en un lugar mejor, cosa que no descarto que seas.

—¿Qué debería haber hecho Cristo entonces? —dije—.

En vista de que acabar crucificado es un follón propio de pusilánimes.

—Lo ideal habría sido fundar una *startup*.

Durante la llamada me preparé una tisana. La taza al principio estaba demasiado caliente para sujetarla con las manos. Fue una llamada larga. Lo supe porque a cada poco podía tener más partes de piel tocando la cerámica. Pensé: qué manera tan eficaz de hacerle el seguimiento a mi correspondencia personal.

—Por cierto, cuando vuelvas no voy a seguir acostándome contigo —le dije.

—Veo que has estado trabajando mucho contigo misma —respondió.

Si Edith hubiese estado ahí, me habría costado explicarle por qué nos reíamos. Le habría dicho: es divertido que yo le diga a Julian que a lo mejor dejo de acostarme con él, porque en ese caso tendría que irme a vivir a otro sitio y él sabe que no puedo, y es desternillante que él insinúe que follar con él es una forma de autolesión para mí, porque tiene razón. En cualquier caso, surgirían temas más apremiantes si en algún momento me veía obligada a explicarle a Edith lo mío con Julian.

La noche siguiente, Julian me mandó un mensaje sobre Kat.

> La he visto en una fiesta. Bien más o menos. Hemos hablado de la garantía de nacionalidad europea de May. Tiene una amiga, Izzy, que dijo algo sobre mí «presentándome» aquí. No sé si Kat está de acuerdo. Hablamos pronto. J.

Lo leí haciendo cola en el Starbucks de Caine Road. A modo experimental, escribí:

me parece q me das x hecho y das especialmente x hecho q estaré aquí cdo vuelvas, cosa q no deja de tener gracia xq a) sigo sin estar del todo segura de q no seas el prota de american psycho, b) mi novia 1. es una verdadera diosa y 2. casi seguro q no es ese prota, y c) reconozco q no soy capaz de dejar de hablar contigo del todo pero estoy bastante segura de q es xq estoy tan hecha mierda que a veces necesito dejar de sentir cosas.

Cuando me llegó el turno de pedir el café, eliminé el borrador con aires de tener cosas de verdad importantes de las que ocuparme.

* * *

Le hablé a Miles sobre la opinión de Julian ante la anécdota de Li Hongzhang y me dijo que era la misma acogida que ya le había dado cuando Miles se la había contado por primera vez. Claramente Julian había fingido el mismo interés que fingía un padre cuando su hijo le contaba algo que ya sabía; eso, o se había olvidado de la historia desde que Miles se la había contado, en cuyo caso las reacciones de Julian eran totalmente predecibles, dado que había tenido la misma dos veces.

Estábamos sentados en la azotea del piso de Miles. La compartía con el resto de los ocupantes del edificio, pero ese día estaba vacía.

—Agradezco de verdad que vengas a verme —me dijo—. Sírvete más vino. Te llevo ya algo de ventaja.

Me pregunté si las relaciones de la mayoría de la gente con su padre se parecerían más a la mía con el mío o a la mía con Miles. Mi contacto verbal con mi padre desde que me había mudado a Hong Kong se había limitado a sartas de «¿Cómo te va?», «Muy bien, muy bien, ¿y el trabajo?», «Muy bien, muy bien, ¿y hace calor?» y luego de vuelta con mi madre. No podíamos hablar de política porque él diría algo horrible sobre la gente nómada de Irlanda o las personas trans y mi madre me miraría en plan: no fastidies a tu padre. Lo único que teníamos en común era el ADN, y eso nos daba un kilometraje conversacional limitado.

—Quería preguntarte por Julian —me dijo Miles—. ¿Cómo crees que le va en Londres?

—Bien, creo. Le gusta su trabajo.

—Nunca entenderé a mi hijo.

—Ni yo tampoco. Me ha preguntado varias veces por ti.

Probablemente Julian le hubiese preguntado también a Miles por mí. Pensé en lo que Miles podría haberle contado. Desde luego no tenía mucho que decirle salvo que me iba bien, y no sería razonable, deduje, que Julian extrapolase de ahí que yo tenía una novia llamada Edith. A un montón de gente le iba bien y no tenía tal novia.

Miles me contó que pretendían ir a la iglesia algún domingo cuando Julian regresara y que yo era más que bienvenida. Eran anglicanos, me explicó. La impresión que me había quedado en mi infancia era que los protestantes cantaban mucho y se tomaban lo de las hostias con mayor o menor literalidad, según cómo lo vieras. Julian y Miles tenían cuellos anchos y voces con timbres que sugerían un cierto vigor de garganta. Serían muy valiosos en el momento de los cánticos.

Le hablé a Miles de las misas en Irlanda. Mis padres no creían en Dios y encima eran católicos (le expliqué que eso no era contradictorio y de hecho era lo que ocurría con la mayoría de los irlandeses), pero mi madre me había obligado a ir a los servicios religiosos importantes porque si no lo hacías nunca podías ser María en la obra de Navidad. De todas formas, nunca hice de María. Yo era demasiado nerviosa y la madre de Dios, desde luego, mantenía siempre las manos quietas u ocupadas en algo de provecho, no toqueteándose la coleta.

Claramente, tenía cierto potencial como actriz o no habría podido ser la novia de Edith y lo que puñetas fuera de Julian al mismo tiempo. La novia de Edith era sincera con sus propios sentimientos. Lo que puñetas fuere de Julian hacía lo que puñetas fuese que hacía. Era como el acertijo de las dos puertas y los dos guardianes, uno que decía la verdad y otro que mentía. Y yo tenía un privilegio que raras veces se concedía a los profesionales de la escena: podía elegir cuál era el personaje y cuál la verdadera yo. Podía elegirlo, en el sentido de que nadie más lo iba a hacer por mí, y no podía, en el sentido de que no podía.

36

—Hay que hacer algo con el apartamento —dijo Edith a finales de julio.

Empezó dejando fresias y tulipanes en la entradita con una nota: métclas en agua o se morirán. Le había dado lo que yo consideraba unas llaves de sobra, pero que en realidad eran las de Julian. Me pregunté si Edith se lo había tomado como una insinuación de que quería que me hiciese un robo a la inversa con la selección veraniega de la floristería Van der Bloom. No me hacía una idea de cómo funcionaban las parejas de verdad.

Puse el ramo en un jarrón que encontré en el aparador, con una capa de polvo tan gruesa que parecía cieno. Llamé a Edith más tarde.

—Las he puesto en agua, pero se están muriendo igual —le dije.

A la noche siguiente las flores habían desaparecido y había unas nuevas que no reconocí. En la tarjeta ponía: «*Leu-*

cospermum, patas de canguro, escabiosas, eucalipto y surtido de temporada». Le escribí un mensaje a Edith para preguntarle qué sentido tenía ser la puta de un banquero si después de un año estaba tan poco familiarizada con los ramos de flores, y entonces caí en que enviar eso sería (probablemente) la peor idea del mundo.

Era una persona horrible. Estaba viviendo en el piso de uno, follándome a otra sin decírselo a ninguno de los dos, y me arrepentía de mi comportamiento sobre todo porque eso significaba que no podía burlarme del primero con la segunda. Pero tenía una novia con una belleza mitológica y un apartamento bonito que compartir con ella. Me parecía ingrato decir algo que pudiera invertir mi buena suerte.

—No voy a estar consintiéndote con Van der Bloom siempre —me dijo Edith.

Me había quejado de que las flores nuevas también se estaban muriendo.

—Venga ya, gastucia —respondí.

—Vale. Vete a por la American Express.

Igual que la polinización cruzada, nuestra ropa iba y venía, sus vestidos en mi armario y mis jerséis en el suyo. Miré sus mocasines en la entradita y pensé que si Julian los viese se destaparía el pastel. Entonces caí en que pensaría que eran míos.

En realidad todo podía serlo. Cualquier cosa que apareciese en la tarjeta de crédito de Julian podía ser algo que me hubiese comprado yo. Si sus amigos nos veían juntas, sería más complicado convencerlos de que estábamos follando que de que no. Casi deseaba seguir en contacto con Victoria para poder decirle: he encontrado una novedosa solución para los desafíos administrativos que supone la infidelidad. Pero llevaba ya más de dos meses sin verla y Julian hacía casi seis que se había ido.

El último día de julio, estaba en la cama, convenciéndome a mí misma para dormir, sin dormirme, mirando una y otra vez cosas en el teléfono, cuando me llegó un mensaje.

> Solo para que sepas que me mandan de vuelta con el trabajo. Vuelo la semana que viene. Mucha logística pendiente, será complicado hablar. Dime si necesitas algo. Gracias por ocuparte del piso. J.

Pensé: alguien necesita enseñarle a este hombre a tener sentimientos, y a escribir un mensaje, y a mí también tendrá que decirme alguien qué coño hacer ahora.

37

Agosto

En agosto hacía demasiado calor para caminar por la calle. El día después de recibir el mensaje de Julian, fui sola a Pacific Place y me hice a pie un circuito por tiendas de saldo de lujo y cafeterías de cadenas estadounidenses. A la puerta de un Celine me revolví el pelo para parecer una niña rica despeinada, entré y me probé una *blazer* blanca. Las hombreras se sostenían solas en alto, como si mis dimensiones fuesen inmateriales. La dependienta parecía creer que lo mismo ocurría con el resto de mi persona. Si compraba todo lo que había en la tienda, entonces la chica tendría que aceptar que yo era alguien importante; la verdad, me veía capaz de pasarme toda la vida demostrándolo. Probablemente podría conseguir que Julian se casara conmigo si le decía que lo hacíamos para ridiculizar a los hombres que tenían esposas, y luego solo sería cuestión de no gastar demasiado dinero de golpe.

Sin duda, Julian me dejaría tener lo bastante para que todo el mundo pensara que yo importaba.

Ocho días hasta su vuelta.

En mi cuenta de ahorros había más que suficiente para pagar una fianza. Podría mudarme al día siguiente si quisiera. No tenía nada que temer ante el regreso de Julian. En el peor de los casos, me echaría del piso y yo regresaría a una vida en la que una habitación me costaba la mitad del sueldo. Así vivía la mayoría de la gente. No pasaba nada.

En la planta baja me vi de reojo en un escaparate grande de Zara. Cómo puedes estar tan pálida, pensé, y no estar enferma. Era todo ridículo. Pedí un expreso con crema en una cafetería con suelos de mármol, me senté y me lo tomé. La cafeína pasó por los canales apropiados. Me dije: más rápido, por favor.

Al principio no parecía muy probable que pudiese hacerles daño a Edith ni a Julian. Eran ricos e inteligentes, y yo me ganaba la vida marcando las fricativas, y lo hacía mal. Pero el problema era que cuanto más me ceñía a esa lógica, menos entendía por qué se habían metido en ninguna historia conmigo. Si estaban lo bastante equivocados con respecto a nuestro estatus relativo para dejar que eso ocurriese, parecía lógico que también pudiesen, por error, sufrir algún daño al enterarse de que yo me veía con otra persona.

Mis pensamientos con un café por delante siempre tenían bastante interés.

Esa noche cené fideos de bote y vino. Vi una película de zombis en Netflix, di *like* a una publicación de Edith en Instagram y leí uno de los PDF de Miles. Al final, abrí el último mensaje de Julian.

Deberíamos invitar a cenar a R y V a casa cuando vuelva. O salir fuera. Quizá fuera mejor. He estado hablando con V y dice q has pasado de sus mensajes. ¿Todo bien? No va contigo no responder. Tampoco va contigo disfrutar de la compañía de V, pero necesitas amigos. Pregúntales cuándo pueden. Podrías buscarles un regalo. Algo de M&S y les digo q lo compré en Londres. Cómprale algo a Miles tb. No escribas notas, yo lo hago. Hablamos pronto. J.

Decidí redactar uno de mis borradores terapéuticos. Escribí:

me estoy tirando a edith. te he contado quién es en otros mensajes falsos anteriores, así q no sé si es más coherente fingir q le envío esto al julian q los ha leído o si ahora eres uno nuevo. da igual, xq es todo falso. pues eso: mi novia edith y yo estamos enamoradas. ella no sabe nada de ti. aunque no me vendría nada bien q me echaras del piso por esto, así q no sé x q te lo cuento. dices q no tienes sentimientos, pero si los tienes, lo siento.

Lo borré, fui a la cocina y bebí más vino. El grifo goteaba. Tenía intención de arreglarlo, le había preguntado a Julian a quién llamar, le había recordado que me mandara el número del casero, pero luego no encontraba el mensaje y no quería preguntarle otra vez por miedo a parecer una despistada.

Cuando volví, abrí de nuevo el portátil y vi que en vez de darle a «Eliminar» le había dado a «Enviar».

Me eché a reír.

No me contestó.

En el trabajo me tomé descansos para ir al baño a mirar

la bandeja de entrada, y soporté el chaparrón de miradas asesinas de Joan. En el metro los datos iban y venían, lo que me obligaba a pasar periodos de tiempo más largos sin actualizar. Eso me llevó a pensar que seguramente me hubiese escrito para cuando llegase a mi parada, pero subí, recuperé la señal y vi que todavía no lo había hecho. Tenía la garganta tensa, fraudulenta. En ese instante preliterario en el que vi un mensaje recién llegado, se me salió el corazón, y entonces un «¿TST hoy? quién se apunta» en el chat de profesores y el corazón volvió a su sitio. Pensé: no me apetece ir a TST esta noche, ni nunca, y podría responder eso en dos segundos, aunque no voy a hacerlo porque supondría un esfuerzo y ahora mismo estoy canalizando todos los recursos disponibles (físicos, mentales, humanos) para no gritar públicamente lo hecha mierda que estoy.

Edith me preguntó qué pasaba. «Últimamente estás como yo, mirando el móvil todo el rato», me dijo. Le contesté que si ella lo hacía yo también podía hacerlo. «Puedes hacer lo que sea, pero no sé por qué ibas a querer estar como yo.»

Sí quería estar como ella, pero tampoco era por eso por lo que miraba el teléfono sin parar.

Podría haberle contado a Edith lo de Julian en ese momento, pero entonces habría consecuencias, mientras que si lo posponía no tendría que lidiar con ellas todavía. Ese razonamiento me parecía sensato, y me pregunté por qué había gente que contaba cosas de forma voluntaria.

Cuatro días después, Julian respondió.

> Un mensaje un tanto raro, A, aunque supongo que lo mandaste borracha. OK. Tampoco es que tengamos nada, así que haz lo que quieras. Nos vemos la semana que viene. J.

Abreviar mi nombre me pareció intencionado. «A» significaba que no se iba a molestar en escribir dos caracteres más, pero también que con una vocal bastaba y sobraba para definirme. Sentí ganas de responder: estoy de acuerdo en que no doy ni para un sustantivo completo.

38

Ese fin de semana llamé a Tom. Mientras hablábamos, yo estaba en el balcón viendo a niños correr más rápido que sus padres y a grandes daneses pasear a canófilos explotados. Primero hablamos de Tom. Las cosas habían ido cuesta abajo con su última pareja, así que estaba ansioso por oírme hablar de mi vida amorosa, porque de ese modo agradecería no tener una propia, sospechaba yo.

—Es increíble que pensaras que no iba a darme cuenta de lo de Edith —me dijo.

—¿Tan obvio era?

—¿Qué creías entonces que pasaría?

—¿Que qué creía que pasaría si no se lo contaba a Edith?

—Sí.

—Bueno, pues más o menos esto.

—A veces me cuesta creer que seas la hermana mayor —respondió Tom.

—Debería contárselo a Edith.

Tom me contestó que no iba a decirme lo que tenía que hacer, pero que debía pensarme a quién elegir. A lo mejor no era necesario, pero si uno de los dos me lo planteaba así, necesitaba saber la respuesta.

Le dije que no la sabía. No quería compararlos y sopesarlos.

—Muy bien, pues no los compares. Pero ¿cómo te sientes cuando estás con ellos? Es decir, ¿cómo actúas estando con ellos?

Esa pregunta resultaba menos abrumadora.

—No soy buena con Julian. Él no me quiere y yo pienso que eso significa que tengo alguna tara, así que me gusta creer que en realidad el problema es él. Nos reímos mucho, pero soy una persona horrible cuando estoy con él. Procuro hacerle sentir igual de mal que me siento yo.

Aunque me sorprendió saber todo eso de mí misma, ahí estaba, en el aire expulsado, resonando de nuevo en mi cabeza gracias a la mala conexión telefónica.

—Eso no está nada bien. Para ninguno de los dos —dijo Tom.

—No. Julian no ha superado lo de su ex. Y yo no debería usar algo así en su contra.

—¿Y qué pasa con Edith? ¿Cómo eres cuando estás con ella?

—Más amable. Más flexible. Y el sexo es mejor.

—No me hacía falta saber lo último.

—Solo te estoy dando datos.

—Perfecto. Bueno, repito, yo no puedo decirte qué hacer. ¿Cuánto falta para que vuelva Julian?

—Dos días.

—Entonces tienes un día para contárselo a Edith.

—Probablemente no lo haga.

—No me sorprendería nada, la verdad.

—Lo sé. Pero ha estado bien hablarlo. Gracias, Tom. —No se lo decía muy a menudo—. Sé que no es fácil decirme las cosas claras.

—No lo es. Castigas a la gente que lo hace.

—Voy a tener que colgar.

—Vale.

—¿Tom?

—Dime.

—Gracias otra vez. Y dale las gracias también a mamá de mi parte.

—Hablas como si te fueses a la guerra.

—Pues más o menos.

* * *

Ese domingo, más tarde, Edith se pasó por el piso. Por fin encendimos la vela de Jo Malone. Edith tenía una marca roja en la espalda, en la zona donde le apretaba el sujetador. Le repasé la parte rugosa y le dije que me preguntaba qué pasaría si llevaras el sujetador puesto cien horas seguidas, si te saldría una herida o algo. Era el último día que me quedaba para contarle lo de Julian antes de su regreso y ahí estaba, preguntándole por el cuidado de la piel. Mi comportamiento era fascinante.

—¿Has oído alguna vez que los sujetadores provocan cáncer? —me dijo—. Seguramente sean magufadas, pero me preocupa. En los países en los que menos mujeres llevan sujetador hay una tasa inferior de cáncer de mama. Aunque es complicado establecer la causa, porque no llevar sujetador está relacionado con no hacer cosas como ingerir comida basura.

—¿La comida basura provoca cáncer?

—No sabemos lo que provoca cáncer. Más allá de beber y fumar. Pero ya sabes que la comida basura no es buena.

—Sí, lo sé —dije. Y añadí—: Por cierto, Julian vuelve la semana que viene.

Fui una imbécil. No tenía ni idea de por qué había dicho eso. Seguramente fuese porque le había asegurado a Tom que seguiría posponiéndolo. En cuanto le decía a alguien que iba a hacer algo, siempre hacía lo contrario.

El pelo de Edith formaba una brocha negra y frondosa sobre mi almohada. Se me ocurrió que la mayoría de las camas no incluían a una Edith, que de hecho la mayoría de la gente no tenía a una Edith, y que todas esas personas se veían obligadas a dormir en esas camas o en otros muebles pertinentes y fingir ser felices.

—Ajá —respondió.

No supe distinguir lo que estaba pensando.

—Justo acabo de enterarme —le dije.

—Y esto —empezó a decir Edith, e hizo una pausa, no para decidir qué significaba «esto», sino para que la pausa fuese tan larga que le permitiese no tener que definirlo con palabras—, esto que tenéis, ¿va a continuar?

—¿A qué te refieres?

—A lo de vivir con él.

—Es mi compañero de piso, así que...

—No pagas alquiler —me dijo, con una voz de «simple comentario» como la de Julian.

—Es complicado.

—Es raro. —Otro simple comentario, aparentemente.

—A ti lo raro te gusta.

—Gracias por la apreciación, Ava, pero no sé si es el mejor momento para decirme lo que me gusta.

—Mira, eso es algo entre Julian y yo.

—Precisamente.

Se fue al baño de fuera. Quise preguntarle por qué no usaba el que había en mi habitación, pero salió antes de que me diese tiempo a hablar. Yo sabía que las imágenes de las paredes eran de Londres porque Julian me lo había dicho. La del centro era una fachada tudor con rejas carceleras en las ventanas. Los edificios altos ingleses parecían prisiones altas inglesas, y cuando le decías eso a una persona inglesa se lo tomaba como que creías que sus prisiones también eran encantadoras.

Edith volvió. Se quedó en el umbral de la puerta con una camiseta que me había prestado en las manos. Estuve a punto de decirle algo, vi que eso era lo que ella esperaba y no pude hacerlo.

—¿Por qué estaba esto en su habitación? —me preguntó en voz muy baja.

—¿Cómo?

—Mi camiseta. Estaba en su cama.

—¿Qué estabas haciendo ahí?

—Esa es justo mi pregunta.

—No puedo creerme que hayas entrado en su habitación.

—Lo mismo digo.

—Edith.

—¿Por qué coño estabas ahí?

—Julian está en Londres. He estado viendo películas en su cama.

—¿Por qué ves películas en su cama? Y, Ava, por favor, ten en cuenta que soy una persona muy inteligente.

Estuvo perfectamente contenida mientras se lo contaba todo, mirándome a los ojos como si fuese demasiado tarde para evitar que le mintiese pero al menos pudiera recordarme aún que lo había hecho. Todo estaba quieto, su mandíbula, sus manos. Cada vez que me callaba, Edith asentía. Era como si ella controlase los grifos, así que yo iba a seguir hablando mientras Edith quisiera y pararía en cuanto ella girase los mangos.

Por fin hizo una señal para indicar que había oído suficiente: entró y se sentó en el borde de la cama. Dobló la camiseta por la mitad, luego otra vez, y me la dio tras haberla reducido a las mínimas dimensiones posibles.

—No me has dicho lo que sientes por él —me dijo.

—Pensaba que estaba enamorada. Y entonces te conocí.

—Joder, mira que es retorcido que seas una mujer mantenida de verdad. Y ojalá pudiera darle a eso el crédito que merece como la fuente de todo el fastidio, si no hubiese otra cosa que me fastidiase aún más. Pero es que hay algo que me fastidia aún más.

Quería que lo soltase todo. Quería que no se quedara nada en el tintero y que salieran todas mis deficiencias para poder verlas bien.

—No termino de entender lo que sientes por él —siguió Edith—. Claramente, él siente algo y creo que estás lo bastante desesperada por obtener su validación como para volver con él. Tengo muchas opiniones sobre los nexos entre la monogamia y el patriarcado, opiniones abiertas a debate si es que te interesan, pero por otra parte también creo que lo más seguro es que las ideas de Julian sean bastante convencionales. Así que no podemos estar juntas. Si es el caso.

Aunque había quedado demostrado que yo no era la mejor encantadora de Ediths del mundo, me parecía que aquel no era el momento adecuado para decirle que Julian ya lo sabía todo y había dicho que no tenía ningún problema.

—Mira, Edith, yo no soy la clase de persona por la que Julian sentiría algo —respondí.

—¿Qué quieres decir?

—Julian tiene dinero y es más inteligente que yo. Y más alto.

—Que yo sepa, a los hombres heteros les gusta que las mujeres sean más bajas que ellos. Además, Julian no quiere nada serio y eso no son especulaciones mías, es que lo has dicho tú. Y encima te presentas aquí y él tiene que darte una habitación que le sobra. Conozco bien a ese tipo de hombres. Te los encuentras en los bufetes de abogados. Julian no está buscando a una mujer de su misma «liga».

Le dije que era un consuelo saber que Julian solo estaba conmigo porque era baja, aburrida y simple.

—Creía que, según tú, no estaba contigo —repuso Edith.

Admití que tenía razón y que solo había dicho eso por efectismo en la oratoria.

—Venga, vale —siguió—. Hasta ahora no sabía lo enamorada que estaba de ti, pero parece que lo suficiente para escuchar todas tus idioteces sobre efectismo en la oratoria y que es que él es más alto que yo así que no puedo gustarle, y por supuesto que es normal acostarse con dos personas en la misma cama y no contárselo a ninguna de las dos.

—Siempre fue en su cama —le dije. Quería agarrarle la mano pero no me atreví—. La mía ha sido solo para ti.

Esa aclaración logística la aplacó más de lo que me había imaginado.

—Entonces ¿vas a seguir follando con él cuando vuelva? —me preguntó Edith.

—No —respondí.

Al oírme, me di cuenta de que era una decisión en firme.

—Y te vas a mudar.

—Sí. Pero no pasa nada si me quedo unas cuantas semanas, ¿no? Hasta que encuentre otro sitio.

El gesto de Edith era el de tener algo frío en la boca que le provocase dolor de dientes.

—Aparte, te equivocas con eso de que Julian no es buena persona —añadí—. Sí que lo es.

—Dice mucho de ti que creas que eso demuestra que no estás enamorada de él.

No pude mirarla. Ese comentario fue demasiado certero.

—Qué tópico tan misógino —dije—. Lo de que a las mujeres no les gustan los hombres buenos.

—Alguna gente consigue encajar un montón de tópicos misóginos en sus vidas privadas —respondió Edith.

PARTE III
EDITH Y JULIAN

39

Septiembre

Íbamos en el ferri a la isla de Lamma. Edith tenía puesto un sombrero de paja con una cinta negra. Julian se había llevado el portátil y estaba escribiendo correos. Yo iba sentada entre los dos y contemplaba la espuma cuajarse contra el barco que se agitaba surcando el agua.

—Ha perdido la cabeza —había dicho Julian cuando le conté que Edith quería que hiciéramos algo juntos los tres.

—Os llevaríais bien.

—No puede querer conocerme de verdad.

Sin embargo, una de las cosas más extrañas de Julian era que decía que no a algo y luego volvía y te soltaba: sin problema. Yo no podía forzar ese cambio, pero era razonable esperar que se produjese si me ocupaba de no mencionar de nuevo el asunto. «¿Sigues pensando que deberíamos quedar con

Edith?», me había dicho en la cocina unos días después. Al menos todavía se me daba bien algo.

Primero caminamos. Edith llevaba un parasol. Había mucho verde, cúmulos de tiendas y restaurantes de pescado con mesas de plástico blancas. Unos peces de aperitivo daban sus últimos coletazos en peceras atestadas.

—¿Reservamos uno? —propuse.

Julian pareció decidir que me estaba dirigiendo a él y respondió:

—No.

Edith puso cara de estar dudando sobre si eso sería una broma típica entre nosotros. Quise decirle que nunca íbamos a ser así de groseros con ella, pero en realidad no tenía ningún precedente por el que guiarme. Pasamos junto a casas con balcones que se extendían monte arriba.

Julian había llegado hacía dos semanas, a principios de septiembre. La noche antes de su regreso, me había deshecho de todos los arreglos de Edith (las flores, las muestras de papel enmarcadas). Fui a recogerlo al aeropuerto y cuando volvimos al piso Julian se quitó los zapatos en la entradita y los dejó junto a los tacones que yo había puesto ahí antes. Añadí entonces las sandalias que llevaba y vi que aquella combinación, un par de zapatos de él y dos míos, se asemejaba mucho a otra cosa. Preparé un té. «Café también tengo —dije—. Tenemos.» El té estaba bien, respondió. El hervidor de agua hizo clic y borboteó. Le pregunté si podía quedarme hasta que encontrase otro sitio.

Para nuestro almuerzo en Lamma, Julian había reservado en una cafetería crudivegana. Incluso aunque algo no le entusiasmase (ya fuera la gastronomía basada en plantas sin cocinar o la compañía de Edith), le gustaba estar al cargo de todo. Edith le dijo que el restaurante estaba bien y Julian la miró con pena, como si ella pensara que él lo había construido con sus propias manos y no quisiera desilusionarla. Me pregunté si Julian había supuesto que Edith sería vegana (era el tipo de cosas que él daba por sentadas en las mujeres). Pedimos fideos de calabacín y leche de cúrcuma caliente. Las mesas eran diminutas. Dispusimos los codos con mucho cuidado en torno a los platos.

—Ava me ha dicho que no tenemos permitido hablar de trabajo —le dijo Julian a Edith—, así que no voy a preguntarte si has asesorado a mi banco.

—Yo no he dicho eso —le advertí a Edith—. No te creas ni una palabra de lo que este diga sobre mí.

—Julian, Ava me comentó que habías ido a Oxford —dijo Edith.

—Para purgar mis pecados, sí.

—Me temo que yo soy de Cambridge.

—Ya me lo ha contado Ava. No te preocupes, todo el mundo toma malas decisiones en la vida.

—Como la que tomó Oxford al admitirte —intervine.

—¿A ti te hace esto también, Edith? —dijo Julian.

—Le encanta que me meta con él por lo de Oxford —le comenté a Edith—. Así recuerda que estudió allí.

Después de nuestro crudialmuerzo dimos otro paseo. Edith iba delante. El vestido que llevaba me recordaba a las sábanas de un hotel: algodón arrugado, marcado en las extremidades. Físicamente, me resultaba confuso tenerlos a los dos cerca: mi cara no dejaba de querer expresarse, algo que entonces me di cuenta de que me censuraba a mí misma cuando estaba con Julian. Pensaba que los dos tenían el mismo sentido del humor, pero al verlos juntos no se me ocurría ni una sola broma que pudiese gustarles a ambos.

El teléfono de Julian sonó cuando estábamos a mitad de camino de vuelta hacia el muelle.

—No te importa, ¿no? —me dijo.

Me adelanté para caminar con Edith. Los banianos chinos arrojaban una sombra llorona. Daban higos; Edith me lo había contado alguna vez. No dejaba de mirarla, aunque no podía hacerlo durante demasiado tiempo seguido.

—¿Cuándo te mudas? —me preguntó.

—Dentro de dos semanas —improvisé.

—Puedes quedarte con nosotros. Mi madre seguramente te ayude a mejorar tu situación. Siempre que conoce a alguien, le encuentra una manera de mejorar.

Habíamos llegado a las tiendas. En el distrito central de Hong Kong los letreros bloqueaban el horizonte como ventanas emergentes, diez letreros por farola, uno por planta en un edificio de veinte pisos, pero en Lamma estaban separados por huecos. Los toldos ensombrecían el paseo. En una tienda con puertas deslizantes y ni una palabra en inglés vendían postales y carne seca.

La mañana previa a esa excursión, el sol me había despertado temprano. Fui a por agua y caminé por el salón mientras me la bebía. Troceé una manzana y no me la comí, y observé unos tacones de rayas rojas junto a los zapatos de Julian en la entradita, pero no me importó. Mientras inspeccionaba los zapatos siguieron sin importarme, y al ver que eran un cuarenta me formé una imagen mental sin atisbos de feminismo del pie de ella, grande y feo. Entonces me fui a mi habitación y me puse a llorar, una cosa que la gente hacía a veces, y mientras lloraba oí a Victoria decir que mejor se iba.

—Es complicado mudarse —le dije a Edith.

—¿Te refieres a la parte práctica?

—Te quiero —respondí.

La quería en ese momento, sí, aunque también porque, la mañana que había oído a Victoria marcharse, me había puesto una chaqueta de punto que Edith había dejado tirada por el suelo. Olía a jabón, como su dueña. Me acordé de cómo Edith me escuchaba siempre que le contaba algo sobre el irlandés, y luego pensé en los sitios en los que vivían las cosas en su bolso. Para entonces yo era una de esas cosas, estaba a salvo ahí y nadie aparte de Edith podía hacerme daño. Y así, cuando Julian preguntó ese día, más tarde, si aún queríamos ir a Lamma al día siguiente, le respondí: perfecto, sin problemas, y lo dije en serio.

Edith se detuvo para que nos hiciéramos una foto juntas. Le pregunté si era para Instagram y me dijo que no, que era solo por tenerla. La vi buscar un filtro. Como casi siempre, me emocionaba pensar en salir en su perfil, aunque me angustiaba la idea de no pegar con el resto de las cosas que había ahí. Supe que su pie de foto le recordaría a la gente con la que había salido del armario que yo era su novia pero no se lo desvelaría a otras personas. Eso era más de lo que yo había hecho nunca para anunciar nuestra relación.

Teníamos el muelle justo delante. Vimos que el siguiente ferri salía a los diez minutos. Julian había terminado su llamada de teléfono y nos alcanzó. Edith preguntó si alguno queríamos chicle o agua, le dijimos que no y se fue a comprar para ella.

—Ha sido divertido —le comenté a Julian cuando Edith se había alejado—. Me imaginaba que os llevaríais bien.

Julian se había encendido un cigarrillo y me hizo un gesto con el paquete para ofrecerme.

—No fumo, ¿te acuerdas?

—Perdona.

Veíamos ya el ferri acercarse, resoplando y formando

onditas en el agua. El cielo desteñía amarillo en azul. Era temprano para un atardecer. Se lo dije a Julian y asintió. Entonces se aclaró la garganta.

—Mejor te lo cuento antes de que vuelva Edith.

Seguí su mirada y vi a Edith salir de la tienda.

—¿Contarme el qué?

—Acaban de llamarme. Lo siento, déjame que...

Apagó el cigarrillo y se encendió otro.

—¿Qué ha pasado, Julian?

Exhaló el humo.

—A mi padre le ha dado un ataque al corazón.

40

Julian me explicó que, hablando con propiedad, se decía infarto agudo de miocardio. Al principio pensó que ese «mio» venía del posesivo, pero en el libro explicaban que significaba «músculo». El músculo del corazón. La primera hora transcurrida después del suceso (el «suceso» era «un infarto agudo de miocardio») se consideraba crucial para determinar el resultado. El «resultado» al que se refería Julian se caracterizaba por su naturaleza binaria.

—Tiene una enfermedad de las arterias coronarias —dijo Julian—. Es joven para eso, con sesenta y tres años. Según los médicos, es por el alcohol y el tabaco. Eso, o predisposición genética.

Julian se encendió un cigarrillo y entonces pareció recordar lo que acababa de decir sobre los factores que habían puesto en peligro las arterias de Miles. No por eso dejó de fumar, pero sí se quedó callado.

Cuando terminó, volvimos a entrar en el hospital. Le

hice gestos para subir en el ascensor, pero quiso que fuésemos por las escaleras.

—Menudo espectáculo estáis montando —dijo Miles—. Si sobreviví a Thatcher...

Julian se abrochaba y desabrochaba las mangas de la camisa.

—He llamado a mamá. Va a salir en el próximo vuelo —dijo.

—Es un detalle que venga para apoyarte —respondió Miles.

—Papá.

—¿No te necesitan en el trabajo?

—Pueden pasar un día sin mí.

—Madre mía, de verdad tienes que pensar que estoy a pique de expirar.

Esa noche, en el salón, vi a Julian mirar un vídeo en el portátil. Aparecía un corazón como un guante de boxeo de goma. Un parche negro se extendía desde una de las arterias. Entonces llegaba la acumulación de placa, artísticamente representada por unos bultos amarillos. Julian se enteró ahí de que Miles debería haberse tomado una aspirina. Habría reducido el riesgo de un coágulo sanguíneo.

—A lo mejor ahora se lo puedes decir —propuse.

—Gracias por el comentario, pero no estoy seguro de querer aconsejar a mi padre sobre la próxima vez que se le vaya a parar el corazón. No es un pensamiento muy creativo que digamos, ¿no?

Unos días después, llegaron los resultados de las últimas pruebas de Miles. A Julian le parecieron lo bastante tranquilizadores para volver al trabajo, aunque sus hábitos se hicieron más raros y erráticos. Cuando tenía hambre suficiente para acordarse de comer, se tomaba cualquier cosa que requiriese el mínimo esfuerzo: cereales sin nada, un bollito sin partir por la mitad siquiera. Las pequeñas cosas lo irritaban.

—¿Por qué has puesto mi móvil en el sofá? —me dijo.

—Creía que era el mío hasta que la pantalla se ha encendido.

—Deberías haberlo devuelto a su sitio. A lo mejor me llaman.

—Lo habrías oído sonar.

—No, no lo habría oído. Está en silencio desde el hospital. ¿Por qué no puedes dejar las cosas donde las encuentras?

Luego se disculpó. Le dije que podía estar todo lo cabreado conmigo que quisiera, y me respondió:

—No digas eso. Necesito que estés normal.

—No quiero ser una molestia para ti.

—Si alguna vez digo las palabras «Eso es una molestia para mí», por favor, pégame un tiro.

Florence llegó tres días después de que hospitalizaran a Miles. Se quedó cuatro noches. Sabía que su hijo tenía un piso de dos habitaciones y no sabía que yo vivía allí, pero Julian le buscó una habitación de hotel con el pretexto de que trabajaba hasta tarde y no quería despertarla.

A Miles solo podían visitarlo dos personas a la vez, así que nunca coincidí con Florence. Julian me dijo que era lo mejor. A Florence no le hacían gracia otras mujeres. Le pregunté si se refería a otras mujeres que estuviesen en la vida de su hijo o a la existencia de otras mujeres sin más. No me respondió.

Pasadas unas semanas, le dieron el alta a Miles con un suplemento completo de fármacos y una lista de sustancias que podían y no podían entrar en su organismo. Fuimos a visitarlo a su casa. Le pregunté a Julian si prefería ir solo y me contestó que de ninguna manera.

—Si ni siquiera hablo —le dije—. Me siento ahí y os veo hablar a vosotros.

—Nos mantienes civilizados. No me ha hecho personalmente responsable de la crisis financiera mundial ni una sola vez desde que llegaste a nuestras vidas. Y yo he dejado de compararlo con Stalin.

Reconocí que eso era una ventaja que no debía menospreciarse.

* * *

Mi madre me contó que la tía abuela Maggie necesitaba una prótesis de cadera. Otra vez, dijo. Maggie tenía una relación turbulenta con las prótesis. La primera cadera falsa le había dañado una parte auténtica de la pelvis que le quedaba, así que tenían que ponerle otra, y probablemente hubiese una demanda. Nunca se sabía con los abogados.

Le dije que mi amiga Edith se dedicaba al derecho, aunque en otra jurisdicción, y me ofrecí a preguntarle al respecto. Mi madre respondió que tenía pinta de ser una buena chica.

—Y otro amigo mío está pasando una mala racha —añadí—. Su padre acaba de salir del hospital.

Me parecía indiscreto decir que ese amigo era el banquero.

—Pobre chiquillo. —Probablemente era la primera vez que alguien se refería a Julian como «chiquillo»—. ¿Es seria la cosa?

—Ahora mismo está genial. Ha tenido un ataque al corazón, pero ya está recuperándose.

—Que Dios lo ayude.

—A los dos —apunté.

—Sí, claro.

El padre de mi madre había muerto cuando yo tenía seis años. Al igual que un número indeterminado de hombres de nuestra familia, había sido alcohólico. Había que llevar cuidado con eso, dijo mi madre. No distinguí si se refería a que los hombres debían tener cuidado con la bebida o a que nosotras debíamos tener cuidado con ellos. El funeral fue en la casa blanca y grande de Roscommon, que olía a turba. Desde entonces, yo había vuelto dos veces al año para ver a mi nana, que vivió ocho años más. George y Tom veían la tele con ella y yo me iba al fregadero a lavar los platos. «Mira que eres buena —decía mi nana—. Un poquito de iniciativa.» En la universidad describí aquello, no muy decidida, como un ejemplo de condicionamiento patriarcal, aunque en realidad me sentía superior haciendo cosas productivas mientras los niños se quedaban ahí plantados como papas.

Le pregunté a mi madre qué hacer con Julian.

—Tampoco seas muy entrometida. Limítate a estar ahí para lo que necesite.

Me pasó a mi padre.

—Las noches son más largas ya, ¿eh? —me dijo.

Le contesté que sí. Me dijo que también era bueno eso.

—Pues sí —respondí.

Me sentía importante por ser yo quien no podía ver a Edith en esa época. Me mandaba mensajes para proponerme quedar y yo le decía que estaba ocupada. Me refería a que quería estar ahí por si Julian me necesitaba cuando llegara a casa, pero obviamente no podía decirle eso a Edith. Así que lo más probable es que ella pensara que yo estaba muy activa y muy solicitada con cosas que ni siquiera podía explicarle de lo ocupada que estaba. Eso, o creía que necesitaba gestionar mejor mi tiempo.

* * *

Cuando Miles llevaba una semana en el hospital, Julian me acompañó al Marriott, en la zona de Admiralty. Era la primera vez que salíamos juntos en condiciones desde su regreso a principios de septiembre. En el ascensor, una mujer con abrigo de visón examinó la altura de Julian como si dudase de que necesitase tanta, y luego el bajo de mi ropa, muy segura de que ahí hacía falta mucha más.

Julian me dejó pedir por los dos y me dijo, distraído, que tenía el pelo bastante bonito. Hablamos sobre si la palabra «bastante» magnificaba o minimizaba un cumplido. Dibujé una clina en un servilleta y coloqué «bastante» entre «un poco» y «mucho». Estaba bien ser la Edith de alguien. Julian dibujó la suya y la puso entre «mucho» y «muchísimo», en ese contexto, dijo. En otros, yo tenía bastante razón. Le pregunté qué «bastante» acababa de usar ahí y me dijo que no sabía cómo había conseguido echarme de menos en Londres.

—Yo también te he echado de menos —respondí.

Me dijo que había sido una buena amiga para él.

—Y quiero serlo ahora —añadí.

Las sillas estaban tapizadas con una serie de tejidos que pasaban desapercibidos frente a los cuadros de acantilados. Las mujeres del restaurante llevaban vestidos coloridos como para compensar a los hombres de trajes tristes (verá, no hemos tenido más remedio que traerlo con nosotras). Julian y yo empezamos a inventar historias para quienes teníamos cerca. Calificó de pareja casada a dos personas que yo consideraba bastante obvio que mantenían una relación en secreto.

—¿En el Marriott? —dijo Julian.

—Perdón, me olvidaba de que todo el mundo ocupa una esfera social en la que están destinados a ver a gente a la que conocen en un hotel de cinco estrellas.

Me sentía tranquila como nunca me había sentido antes de que Julian se marchase. Con Edith podía tener citas de verdad, así que ya no necesitaba preocuparme de si Julian y yo estábamos en una. Podíamos comer sin más.

Julian me contó que Londres había cambiado: no para todo el mundo, claro, pero sí para él. Ya no había nada alto, salvo el Shard. El metro estaba más envejecido que antes. Al menos en los dos países la mujer de la megafonía mostraba las mismas ansias de que por favor se dejara paso a los pasajeros que bajaban. Se preguntaba si a esa mujer le importaría oír su voz en las estaciones. No había cantidad de dinero aceptable para Julian a cambio de que su voz le hablase mientras trataba de no derramarse el café encima. Estaba convencido de que no se fijaba en la omnipresencia de los caracteres chinos en Hong Kong, pero se dio cuenta de que en Londres los letreros le parecían vacíos sin ellos, aunque su comprensión lectora del chino seguía estando, dijo, literalmente por debajo de la de un bebé. Y tenía la impresión contraria a la del centro de Inglaterra respecto a Londres: alucinó con la cantidad de gente blanca que había allí.

—Pues mantén tierra de por medio con Oxford —le dije.

Después, fuimos en el tranvía desde Admiralty hasta Pottinger Street y luego subimos por las escaleras mecánicas. Letreros, como siempre: Sunny Palms Sauna, Paris Hair Salon, Open Late SEX TOY SHOP (mayúsculas suyas). Parecía gracioso que Julian pudiera mantenerse a la derecha, con la misma pinta que el resto, cuando los demás habíamos seguido allí mientras él había estado fuera.

Me di cuenta de que caminaba por delante de él. La primera vez que me llevó a almorzar, Julian había llegado a la escalera de la estación de metro antes y luego me había dejado pasar (me percaté rápido) para que la diferencia de altura no se notase aún más en los escalones. Aquello me había puesto nerviosa. Si Julian pensaba en esas cosas, me preguntaba qué otras observaciones haría. Los veintitrés años se estaban conformando ya para convertirse en el primer año de mi vida en el que la idea de que alguien se fijase en mí no me llenaba de un horror abyecto. Más vale tarde que nunca, pensé.

Ya en casa, preparé una infusión de manzanilla.

—Sé que seguramente no quieras hablar de Miles, pero aquí estoy si te apetece —le dije.

—Gracias, Ava.

Nos sentamos en el sofá y vimos las noticias en su portátil. Me dijo que estaba pensando en comprarse un televisor físico de verdad.

—Dios, estás llegando a los treinta pero en serio.

El Gobierno de Hong Kong había metido en la cárcel a tres prominentes líderes estudiantiles prodemócratas. Los trabajadores británicos de McDonald's estaban en huelga por los contratos de cero horas. («¿Cómo puedes estar tan de acuerdo conmigo y no gustarte Corbyn?» «Creo que la diferencia en realidad emana de nuestra opinión ante la idea de si sería de interés nacional convertir Gran Bretaña en un gulag.»)

Julian se puso a jugar con las mangas de la camisa y dijo:

—¿Tenemos fecha para la mudanza?

—Quizá dentro de un par de semanas.

—Correcto.

Bebí un poco de manzanilla para poder ir a rellenar el agua.

—Si no hay problema —dije.

—Bueno, eso no es mucho tiempo para encontrar algo —respondió Julian.

—Los alquileres se mueven rápido aquí. Y a malas podría pillar un Airbnb.

—Cierto. Bueno, solo ten claro que por mi parte no hay ninguna prisa si necesitas más tiempo.

Entonces se levantó y se puso a buscar el cargador del MacBook. No le iba a quedar más remedio que comprarse otro sí o sí, dijo. Aunque se comprara uno para cada enchufe del piso, seguramente se las arreglase para perderlos todos.

—Siento lo del mensaje —le dije. Dirigí el comentario al cojín al que estaba agarrada—. Fue un accidente.

—Esas cosas pasan —respondió, como si la gente le enviase normalmente declaraciones dispersas sobre a quién se estaban follando.

Tampoco había que descartar esa posibilidad. Sus amigos eran muy raros.

—Y Victoria qué —le dije.

No sabía si había vuelto al piso desde aquella vez, pero de ser así yo no me había enterado.

—¿Cómo lo has...?

—Soy una persona muy inteligente.

—¿No te importa?

—No. Me importaba, pero si yo tengo a alguien...

Se echó a reír.

—Espero que nadie me mantenga así de aferrado a mis errores.

Nunca me había parecido lógico que los hombres pensaran que a las mujeres con las que se acostaban les gustaba oírlos hablar mal de otras mujeres con las que se habían acostado. Había que ser una egocéntrica acérrima, pensaba yo, para creer que esos hombres no iban a hablar así también de ti. Lo peor que Julian había dicho de Kat era que estaba «bien», y por esa razón entre otras confiaba yo en él. A mí ya no tenía por qué importarme que él hiciera o dijese cosas que no habría hecho ni dicho antes, pero sí me preocupaba.

Me acerqué a la ventana para que Julian no tuviese que mirarme y dije:

—¿Quieres que me quede hasta que Miles esté mejor?

—En el hospital dicen que se pondrá bien de aquí a unas semanas.

Con los dedos quité un poco de tierra de una maceta que se había caído al alféizar, fui hasta la papelera y me limpié los dedos ahí. La planta era un regalo de Edith. Me había dicho que no podía sentirme de verdad segura viviendo en un sitio en el que no crecía nada.

—Puedo quedarme. Si eso ayuda —dije.

Esperaba que me respondiese «Si quieres...» y que entonces yo necesitaría una media hora para decidir si Julian podría o no apañárselas sin mí. Las mujeres cuidaban a los hombres y les dejaban fingir que no era así. Sabía que era injusto comparar a Julian con alguien a quien no le habían estado diciendo todo el tiempo en el colegio que llorar era de mujeres y de pobres, pero me acordé de cuando Edith me dio las gracias por cómo había manejado a la señora Zhang.

—¿Por qué estamos bebiendo infusiones? —dijo Julian—. Vamos a abrir un pinot noir.

—¿El Chambertin o el Clos de Vougeot?

—Ese no es mi acento.

—Vale, pero cuál.

—Espera, qué coño, ¿aún tenemos el Clos de Vougeot?

Lo vi pensar: y va esta y nos pone a beber infusiones.

Se me resbaló la mano al servir, así que le llené la copa casi hasta el borde. Empecé a pedir perdón y Julian dijo que no había nada en el mundo que mereciese menos una disculpa. Le dije que tenía buen aspecto y me respondió que le sorprendía, porque la aplicación de contaminación del aire que le había enseñado había sido igual de negativa en Londres que en Hong Kong. Yo la había borrado hacía mucho. Me dijo que eso era típico de nosotros. En parte tenía razón, aunque no supe decidir en qué parte.

—No te sientas obligada, pero te lo agradecería si te quedases —me dijo Julian.

—Lo haré. Encantada.

—Como amigos. Hasta que sepa que se ha recuperado.

Amigos podía significar cualquier cosa.

41

Octubre

Era 1 de octubre, la fiesta nacional. Julian y yo nos ofrecimos a pasar el día con Miles, que se echó a reír y dijo que ya tenía otros planes. Edith sugirió que viésemos los fuegos artificiales en el Victoria Harbour. Yo no estaba segura de qué pretendía al invitar también a Julian, pero no la sondeé para averiguarlo. Julian aceptó venir.

Mientras caminábamos entre la multitud, pensé en las conclusiones que la gente podría extraer al vernos. Un hombre alto y rubio y dos mujeres bajitas de pelo oscuro. Dos personas blancas, una asiática. No podíamos ser parientes, pero éramos demasiado distintos para ser un círculo obvio de amistades. La ropa de Edith parecía la más cara, así que quizá fuésemos sus agobiados asistentes personales. Pero ¿por qué íbamos a pasar entonces la fiesta nacional juntos? Tal vez Julian y yo éramos amigos de Edith de la universidad y habíamos llegado de Londres a pasar la semana. Los tres habíamos estudiado en el mismo *college* de Oxford, y Julian y yo estábamos casados y habíamos ido a visitar a Edith tras su regreso a Hong Kong para que ella nos sumergiese en esa cultura. ¿Se podía distinguir a una lesbiana nada más verla? Se suponía que ese era uno de los superpoderes asociados a que te gustasen las mujeres, aunque desde luego yo nunca lo había tenido.

Edith encontró un sitio desde el que ver los fuegos y le dijo a Julian que usara su altura para abrirnos hueco a los tres. «Es genial esto, ¿no? —dijo Julian sin elevar la entonación—. Un bonito día de paseo con mis chicas.» Edith lo mandó callar y Julian se rio. «¿Qué pasa? ¿Te preocupa no oír las explosiones por mi culpa?», respondió él.

Yo estaba en medio de los dos. Cada vez que estallaba un cohete, le apretaba la mano a Edith. Julian tenía la cabeza echada hacia delante, como si quisiera parecer más atento de lo que estaba. Me di cuenta de que Julian era consciente de que en Londres no tenían ese día como festivo, así que los clientes esperarían respuestas en un plazo de una hora. Edith estaba en la misma situación, pero ella había pasado el camino más ocupada con el teléfono, así que su hora de margen terminaría más tarde. Al principio me preguntaba qué pensamientos descartarían para dejar sitio a ese tipo de consideraciones. Aunque eso no era nada científico. En realidad, el cerebro generaba células nuevas conforme se lo alimentaba con información. A mí eso no me gustaba y me dio pena haberlo pensado, porque significaba que los dos se iban haciendo cada día más y más listos que yo.

Por encima de nosotros, los paneles publicitarios estallaban en rojo, blanco y dorado. Los niños gritaban.

Al terminar acompañé a Edith andando a la estación de

Sai Ying Pun. En el interior había un mural de gente desencantada con la vida urbana. Me dijo que había pasado un buen rato y que Julian le caía bien. Luego me preguntó si había algún avance con la búsqueda de piso.

—Estoy pensando en irme a mediados de octubre.

—Estabas pensando en finales de septiembre la última vez que te pregunté.

—Su padre ha tenido un infarto.

—Sé que quieres ser una buena amiga, pero no creo que Julian le haya pedido algo así a ninguno de sus otros amigos.

—Porque sus otros amigos son unos sociópatas de manual.

—Y qué.

—Son solo unas semanas más.

—Si estás segura...

Nos abrazamos y Edith pasó por el torniquete. Me quedé allí hasta que la perdí de vista por si volvía la mirada, pero no lo hizo.

* * *

La escuela como tal había vuelto a empezar para mis alumnos, aunque a mis clases habían seguido viniendo todo el verano. Los de siete años estaban en la mitad del módulo gramatical sobre las oraciones. Unos pocos días después de los fuegos artificiales, les di una clase sobre sustantivos colectivos frente a sustantivos individuales. Yo no había oído hablar de esa diferencia antes de abrir el libro de texto. En él se revelaba que un sustantivo colectivo era algo como «verduras», mientras que sustantivos individuales eran «remolacha», «zanahoria» o «brócoli». Era mejor utilizar sustantivos individuales porque así tu redacción resultaba más precisa e interesante.

En el capítulo daban una breve explicación seguida de un ejercicio: una página A4 dividida en columnas. En la izquierda había varios sustantivos colectivos. En la derecha, tenías que rellenar cada fila con al menos tres sustantivos individuales pertinentes. Les dije a los niños que podían usar los diccionarios de cantonés-inglés.

Cynthia Mak preguntó qué poner en «gente». ¿Se refería a «hermana», «hermano», «padre», o a «profesora», «médica», artista», o a...?

—Todo eso vale —le dije.

—Pero si pongo «hermana», «padre», «hermano» en «gente», entonces ¿qué va aquí? —Y me señaló el recuadro marcado con «familia».

—Bueno, pues no lo hagas así. Elige «profesora» o algo.

—¿Y entonces aquí? —Y señaló la fila de «profesiones».

—Vale, pues otra cosa para «gente».

—¿Gente feliz, gente triste?

—«Gente feliz» no es un sustantivo individual. Es un adjetivo con un sustantivo colectivo.

—¿Y qué escribo entonces?

Nos miramos. Era todo un reto describir a la gente de una manera no directamente relacionada con cómo ganaba dinero o cuál era su posición en la unidad familiar.

—¿Qué te parece «amigo», «novio», «colega»? —le dije.

—No quiero escribir «novio».

No podía culparla por cuestionar el ejercicio. «Amigo», «enemigo» y «colega» no parecían maneras de concretar a «persona» como «manzana» concreta a «fruta». Una manzana seguía siendo una fruta aunque no tuviese nada más en su entorno, pero no se podía ser la némesis de nadie sin que esa otra persona estuviese por ahí para completar la definición. El mismo problema brotaba de mis sugerencias previas. «Familia» era una cuestión relacional, mientras que «profesión» surgía y cobraba sentido gracias a estructuras externas. Desde luego, «adulto», «niño» y «adolescente» podían mantenerse por su cuenta. Pero aun así me parecía deprimente que la manera de especificarnos (la manera de hacernos precisos e interesantes) fuese señalando nuestra fase de desarrollo y distancia probable de la mortalidad. La fruta no tenía ese problema.

* * *

Incluso un hombre británico tan británico y tan hombre como Julian tenía desde luego sus límites respecto a lo que podía fingir no percibir (en términos auditivos, si no emocionales), así que Edith y yo nos habíamos estado viendo en hoteles para parejas desde su regreso unas semanas atrás. El primero estaba en Lockhart Road, en Wan Chai. Edith me dijo que la habitación se alquilaba por horas, lo que auguraba sordidez, pero se trataba de un sitio tapizado y gestionado como cualquier otro alojamiento económico. Solo que había que dejar la habitación más temprano. Las sábanas olían a limpio, seguramente porque las habían rociado con algún espray. Reservamos toda la noche para poder ver la tele después.

—Ojalá se lo pudiéramos contar a la gente —dije en una pausa de publicidad.

—Me gusta tener un secreto —respondió Edith.

—¿Yo te seguiría gustando si esto no fuese un secreto?

—No lo sé. Podríamos intentar contarlo y ver si sigo estando interesada.

—¿A quién deberíamos decírselo?

—Mi familia no está preparada. Ya les he hablado a Cyril

y a Tony de nosotras. La gente de Cambridge sabe que soy lesbiana, pero no creo que nadie más tenga ni idea. Sospecho que si les presentase a mi novia se enterarían.

Usaba ese tono formal cuando intentaba ser graciosa. A veces me irritaba, pero sabía que era su manera de encarar las cosas.

—¿Y quién más hay?

—Julian, supongo.

—Pero él ya lo sabe.

—Qué pena —dijo Edith—. Habría estado bien habérselo contado las dos juntas. Se habría puesto en plan: «Me alegro mucho por vosotras, me conmueve que os hayáis abierto así conmigo, ¿no es genial que compartamos nuestros sentimientos?».

—Menuda imitación tan perfecta de Julian. Durante un segundo he pensado que eras él. —No pilló que estaba de broma, o en cualquier caso no se rio, así que añadí—: Pero puedes decírselo, vaya. Solo que no deberías esperar una gran reacción por su parte.

Edith no me estaba mirando. No pude distinguir si era algo deliberado, pero tampoco quería echar un vistazo para ver qué cara tenía porque si lo hacía y no me devolvía la mirada entonces sabría que lo estaba haciendo a propósito.

—¿Crees que alguna vez se lo contaremos a la gente? —me preguntó.

—Me daría igual.

—¿Decirlo o no decirlo?

—Las dos cosas. Depende de ti.

—Pero yo quiero que dependa de ti.

Entonces soltó una risa leve. Me pareció que eso tenía un efecto suavizador más creíble cuando la gente lo hacía por escrito.

—No hace falta que lo hablemos ahora —dije.

—Qué comentario tan típico de Julian...

—¿Qué tiene que ver él con nosotras?

—«Ya hablaremos de eso», y luego nunca lo hablas.

—Dudo mucho que te haya dicho eso alguna vez.

—¿Qué pasa? ¿Crees que te he puesto micrófonos en el apartamento? —dijo Edith.

—De verdad que no recuerdo haberte dicho eso.

—Pues lo has hecho. Puedes creerme o no. Y no es por darte la brasa, pero...

—Estoy en ello.

—Más te vale.

42

La tercera semana de octubre, Edith dijo que debíamos hacer algo socialmente productivo. Julian compró las bolsas de plástico. Fuimos paseando por la playa y recogiendo basura. Julian se quejó de que aquello no tenía sentido, porque si volvíamos al día siguiente la gente habría tirado más envases a la orilla. Edith le preguntó si había oído la parábola del hombre que lanzaba estrellas de mar al mar. Él le contestó que sí y que le parecía una bobada porque el hombre debería haber intentado llegar a la raíz de la crisis de las estrellas de mar en vez de ponerle una tirita al asunto. Ella le preguntó si se refería a apropiarse de los medios de producción y la cara de Julian dijo: por qué todo el mundo que conozco es un zángano de oficina, un demente bolchevique o en este caso las dos cosas.

Continuamos con la tarea hasta que la orilla quedó limpia de desperdicios y luego anudamos las bolsas y las tiramos. Julian comentó que los contenedores de reciclaje solo estaban para aparentar y que todo aquello acabaría al final en el vertedero, donde probablemente fuese más nocivo que si lo hubiésemos dejado en la arena. Edith le respondió que si tenía una idea mejor para pasar el siguiente sábado socialmente productivo, se sintiera más que libre de planificar nuestra próxima excursión tripartita sobre el terreno. Julian le preguntó si estaba lo bastante segura de que tuviese que haber una próxima.

Yo los dejé a su aire. Tenía otras cosas en las que pensar.

Volvieron a enzarzarse por el sitio en el que comer. Edith sugirió una pizzería. Julian dijo que Londres era más barato y mejor para ese tipo de cosas. Edith respondió que no estábamos en Londres, así que no veía la relevancia del comentario. Acabamos yendo a comer pescado al Boathouse de Stanley Main Street, cosa que no querían hacer ninguno de los dos, pero que a ambos les daba la satisfacción de saber que el otro no se había salido con la suya. La terraza del local miraba a la bahía. Edith y Julian pidieron una bandeja de langostinos, almejas y vieiras. Les costó encajarla en la mesa junto a las peonias falsas. Yo pedí sopa de champiñones y no me la comí.

La camarera del Boathouse nos trajo la cuenta. Le pregunté a Edith si había alguna frase en cantonés que significara «mentira por omisión». Me dijo que no se le ocurría una traducción directa así a bote pronto, pero que antes en la tele había una serie de suspense sobre la policía de Hong Kong llamada casi igual, *Lives of Omission*. Salía Michael Tse. La cancelaron después de treinta episodios.

—¿De dónde sacas tiempo para ver tanta mierda en la tele? —le preguntó Julian.

—Casi toda la tele la vi en mi época de estudiante. Y en realidad esa serie es muy buena. Recibió un montón de nominaciones de la TVB.

—¿Qué es eso?

—Es igual.

Pareció un intercambio cordial, aunque siempre lo parecía. Me pregunté en qué estarían pensando en realidad, y sabía que en el caso de Edith, al menos, esos pensamientos serían probablemente hostiles. Ojalá Edith pudiese entender que Julian no me estaba reteniendo en nuestra dinámica anterior. Que él me necesitase era algo extraño y nuevo. Además, su padre había estado enfermo. La mera necesidad de tener que explicarle a Edith por qué no podía abandonarlo en esos momentos resultaba ridícula. En otro plano, yo era consciente de que había abusado de su confianza y la había vuelto a romper después de mi primera disculpa por quedarme con Julian más allá del plazo inicial fijado. Mirándolo por ese lado (que quizá fuese el más sensato por el que mirarlo, sí), no era mucho pedir que dejase de vivir con el hombre sobre el que le había mentido en cuestiones de follar. Pero ¿qué clase de persona hacía las maletas y se largaba cuando el padre de su amigo acababa de salir del hospital? Ese, en mi opinión, era el problema de tener implicaciones emocionales con dos personas elocuentes que argumentaban muy bien sus casos. (En realidad Julian no lo había hecho, pero yo sí, conmigo misma, usando el tipo de análisis que habría utilizado él.)

—¿Y tú qué dices, Ava? —preguntó Julian.

—Te está preguntando qué opinas de Martin Schulz —dijo Edith—. El líder de los socialdemócratas alemanes. A Julian le cae muy bien. A mí no.

—Entonces a mí tampoco —respondí.

Y Julian felicitó a Edith por tener a una comparsa tan leal.

Cuando habíamos entrado en el restaurante el día estaba soleado, pero al marcharnos el granizo caía en ráfagas como disparado con cañones de volea. Teníamos un paraguas barato que parecía estar en una absoluta desigualdad de condiciones para afrontar la tarea que le esperaba. Los dos dijeron que lo llevase yo. Al tener la altura modal, lo mantendría al nivel más justo para los tres.

43

Edith y yo fuimos a un café-librería de Park Road a finales de octubre, la semana después de la excursión a la playa. El local tenía una puerta roja y pantallas de mimbre para las lámparas del techo. Llevé a la mesa el café y unos *muffins* y Edith leyó en alto un artículo de la revista *Scientific American*.

—Según un estudio reciente, nuestra capacidad para construir oraciones podría derivarse de la memoria procedimental —citó—. El mismo sistema sencillo de memoria que permite a nuestros perros aprender a sentarse cuando se les ordena.

La memoria procedimental almacenaba habilidades como las de nadar o montar en bicicleta, mientras que la memoria declarativa era para hechos y recuerdos. Las frases se formaban imitando patrones de oraciones que habías escuchado en el pasado. Por eso Edith decía: «¿Lo tienes ahí?», mientras que yo diría: «¿Lo llevas encima?». Habíamos crecido oyendo diferentes versiones de un mismo idioma. Conscientemente o no, las reproducíamos.

—Pero yo no digo «¿Lo llevas encima?». Yo digo lo mismo que tú. Y tú no te has criado oyendo inglés británico. Me dijiste que tenías acento estadounidense hasta que te fuiste al internado.

—Era solo un ejemplo, Ava.

Estaba buscando errores para que Edith siguiera hablando, aunque en realidad todo aquello me parecía reconfortante. Me sentía menos responsable de lo que decía si se lo había copiado a otra gente. Si alguien decía algo para herirme, no era porque tuviese intención de hacerlo, sino porque se había rodeado de gente desagradable en el pasado. Y si yo quería ser alguien que soltara réplicas hirientes y rápidas sin delatar ningún apego hacia quienes me rodeaban, solo tenía que escuchar a la gente a la que quería imitar. Mi cerebro recitaría de un tirón sus frases.

—Pero es deprimente —dije, de nuevo en buena medida para oír la respuesta de Edith—. Nuestras palabras entonces no significan nada.

—No creo que la selección del contenido sea procedimental, solo la forma en la que usamos la gramática para expresarlo.

Seguidamente fue a comprar un libro. Al volver, lo guardó en la sección intermedia del bolso. Con sus maneras dejaba claro que esperaba que yo sacase el temita que habíamos estado evitando.

—Estoy preocupada por él —le dije—. Tomamos vino y me cuenta cosas. No creo que tenga a nadie más con quien hablar.

—¿Qué tipo de cosas te cuenta?

—Cree en Dios.

—¿De verdad ves muy necesario vivir con él para que podáis tener debates teológicos?

—No debatimos sobre eso —respondí. La cara de Edith estaba imperturbable, así que yo también mantuve la mía igual—. En realidad, es algo que no me interesa.

—No me parece que eso sea un contrapunto tan convincente como tú te crees. —Tono calmado.

—Edith, te estás portando como una auténtica abogada.

Mi intención era que sonase a broma. No fue así.

—Ava, te estás portando como una indecisa.

Seguía calmada, y la odiaba por ser capaz de mantenerse así más tiempo del que podía hacerlo yo. Seguramente Edith no sintiera las cosas con un nivel de intensidad igual que el mío. Tenía una ventaja injusta. O tal vez experimentaba la misma intensidad de emociones que yo pero sus sentimientos eran normales y apropiados, mientras que los míos eran enfermizos y estaban mal dirigidos.

—No me estoy portando como una indecisa. Te quiero. —le dije. Cosa que era verdad, o no la odiaría—. Pero no voy a darle la espalda al resto del mundo. Es muy típico de ti. Estoy en este país en el que no tengo a nadie más que a ti, a nadie, llevo más de un año sin ver a mi familia, y a ti eso no te basta.

—Lo primero, es tramposo tomarse un «Por favor, no vivas con un tipo con el que follabas» como un «Por favor, aparta a todo el mundo de tu vida».

La voz le tembló por primera vez. Me sentía orgullosa de eso.

—Ese es el resultado práctico de lo que me estás pidiendo —respondí.

—Déjame acabar. Eso era lo primero. —Levantó un dedo, como para guiarnos por un orden del día. La combinación de ese gesto corporal con la voz elevada me aterrorizó—. Lo segundo es la mierda esa de que no tienes a nadie.

—Un segundo dedo, para indicar que estábamos en la bala número dos—. Tus compañeros de trabajo te invitan a salir siempre y tú nunca vas. ¿No te han escrito tus antiguas compañeras de piso para poneros al día? Y Victoria me ha dicho que nunca le respondes a los mensajes.

—Victoria no es la mejor persona que sacar a colación.

—Pero... Es igual, no quiero saberlo.

—Oye, Edith, que me acabo de acordar, ¿qué ha pasado con tus muchas opiniones sobre el nexo entre la monogamia y el patriarcado?

Edith cogió una servilleta y echó unas miguitas en ella.

—Creo que mis opiniones sobre la mentira son más relevantes ahora mismo —contestó.

—¿A qué te refieres?

—Si de verdad crees que no hay nada intrínsecamente malo en acostarse con varias personas (y tienes razón, porque no lo hay), ¿por qué me mentiste?

—No puedes sacar eso ahora.

—Perdona si mis sentimientos ante el hecho de verme engañada están salpicando donde no quieres verlos, pero, igual que mis opiniones sobre la monogamia y el patriarcado, son muchos.

Edith había dejado ya de enumerar el orden del día con las manos.

—Me dijiste que me habías perdonado —repliqué.

Volvió a limpiar la mesa con otra servilleta, aunque no había nada que recoger. Observó el papel, arrugado y vacío, y luego lo colocó con cuidado dentro de la taza de café acabada.

Contemplé el local. Estaba lleno de gente que no compartía mi estado emocional. Los libros eran amenazadores. Los odiaba: el olor a tiza, el tacto de pizarra.

Por fin, Edith dijo:

—¿Cuándo puñetas he dicho yo que te perdonaba por mentirme?

—Me dijiste que querías conocerlo, y ahora os conocéis.

—Disculpa si me estoy poniendo muy legal, pero no creo que eso signifique que te haya perdonado.

—Entonces me lo vas a guardar toda la vida.

—No, Ava. Voy a guardártelo hasta que hagas algo que demuestre que te importo una décima parte de lo que tú me importas a mí.

—Tú tienes un montón de cosas. Tienes una familia grande que está casi toda aquí. Y te quieren todos. Incluso la señora Zhang te quiere. Ganas el doble o el triple en tu trabajo de lo que gano yo, y por lo que sé a ti te dejan ir a mear. Tienes amigos.

—Si quieres, podemos volver sobre el hecho de que apartes a cualquier persona que pretenda ser tu amiga.

—A ti no te aparté.

—Ah, ¿no? Era siempre yo la que te proponía salir. Y pensaba: esto es lamentable, y esperaba a ver si me lo pedías tú, y al final (pensando todavía, eso sí, que era lamentable) cedía y te lo decía yo. Y sabes muchísimo más sobre mí que yo sobre ti. La verdad es que Julian te gusta porque te permite mantener esa percepción que tienes de ti misma como de una persona desapegada. Hay mucha gente con ganas de ofrecerte intimidad. Eso te aterra. Prefieres sentir que nadie va a quererte nunca.

—Mi amistad con Julian no es asunto tuyo.

—Me haces sentir que no soy lo bastante buena para ti.

—Edith, lo único que tú haces es que yo sienta que no soy lo bastante buena para ti.

Agarró su bolsito ordenado con el libro dentro, amontonó un plato sobre otro y luego puso las dos tazas encima del de arriba.

—Ven a vivir con mi familia. Vente esta noche.

—¿Qué?

—Hay una habitación libre. A la señora Zhang le caes bien. Nos falta una cuarta persona para jugar al mah-jong. Haz las maletas y vente.

—¿Es una amenaza?

—No. Voy a romper contigo si no lo haces, pero para que eso cuente como amenaza tendría que ser algo que te diese miedo.

—Yo voy a romper contigo de todas maneras —le dije.

Edith se echó a reír, llevó las cosas a la barra y se marchó.

44

Noviembre

En el Starbucks de Caine Road me puse a escribir disculpas falsas y perezosas. Lo estaba haciendo directamente en la aplicación de mensajería, al principio porque pensé que eso me obligaría a enviar el mensaje, ya que Edith me habría visto escribir. La estrategia no funcionó, pero la mantuve porque (con la claridad mental que me caracterizaba) pensé que cambiar a la aplicación de notas traería mala suerte. El primer borrador decía: lo siento. Las versiones posteriores eran más elaboradas. Lo de «voy a romper contigo» me salió de manera procedimental, escribí. Pero Edith pensaba que la memoria procedimental solo determinaba el modo de decir las cosas, no el contenido, así que eso no serviría.

La decoración verde y marrón de la cafetería me hizo pensar en árboles marchitos. Nunca guardaba lo que escribía, pero sí tenía la plantilla almacenada en mi cabeza para la siguiente versión. El formato básico se me quedó grabado tan a fuego en la mente a base de repeticiones que casi empecé a sentir que mi actitud tenía sentido. Entonces miré el *muffin* de arándanos rechazado con el que compartía la mesa y recordé cómo estaban las cosas de verdad.

Los primeros borradores eran todos versiones de:

> no sé x q te dije eso. no quiero romper contigo. pero ¿entiendes x q me da miedo mudarme? el piso de julian es mi casa. así q me dio pánico y dije una estupidez q no quería decir. era incapaz de moverme cdo te fuiste. me quedé allí sentada respirando el olor de los libros muertos. olor tiene dos sílabas y tú la pronuncias casi como una. eso podría ser importante pero a lo mejor no.

Me pasé semanas haciendo lo mismo. Octubre se convirtió en noviembre y yo seguía sin tener novia. Me pregunté si podría sacar un poema de todo eso.

Como había redactado el primer borrador de disculpa en el Starbucks de Caine Road, pensé que cambiar de sitio me traería mala suerte. Los baristas terminaron por reconocerme, lo que subía a tres el recuento total de cafeterías de Hong Kong en las que me conocían. No me importaba. Si querían mirarme el pelo grasiento y los jerséis manchados de boli y decidir que esa persona era yo, por mí perfecto. Dejé de pintarme los labios y me ponía cualquier cosa que me encontrase por el suelo al levantarme, lo que en la práctica seguramente significase que iba todos los días vestida igual.

> cdo estábamos juntas a veces sentía demasiadas cosas y entonces iba y hablaba con él para calmarme. él no me hace tan feliz ni me pone tan triste como tú. eso significa q me importa

menos, pero tb es más complicado abandonarlo del todo. él es como la corriente del golfo. ¿sabes lo de la corriente del golfo? mantiene irlanda temperada.

La primera vez que Julian me preguntó qué me pasaba le dije que tenía la regla. Era tan médicamente inculto en el cuerpo femenino que alargué esa coartada y pude cubrir las primeras dos semanas de la ruptura. Luego le dije que las cosas estaban complicadas en casa.

—¿En Irlanda? —me preguntó.

—¿A qué otra casa me iba a referir?

No había nadie con quien pudiese hablar. Tom no iba a entenderlo. Tony o Cyril a lo mejor, pero no podía recurrir a ellos cuando los había conocido a través de Edith. Solo había salido un par de veces con ellos y se habían esforzado en llevarse bien conmigo por Edith. Además, ella ya se lo habría contado todo a esas alturas. Me odiaban. Yo era una mala persona que no sabía cómo amar.

Por primera vez en siglos, fui a LKF a tomar algo con los profesores de mi centro. Desde la azotea, las líneas de la ciud dad se extendían como una partitura. George Sand se había enamorado de Chopin y el compositor se le murió. «Desconsiderado», había resoplado Edith. Nos habíamos puesto a escuchar las mazurcas de Chopin en mi portátil, con las luces apagadas. La pantalla azul era un farol montando guardia. Luego, Edith me había dicho que existía una aplicación para que los colores se hiciesen más cálidos de noche. Te ayudaba a dormir. La probé pero no me gustaba el tono naranja.

Los profesores me hicieron actuar como si estuviese feliz.

—Ven a bailar —me dijo Madison de Texas.

Fui y bailé. Un hombre me preguntó cómo me llamaba.

—Kitty —le respondí.

Me dijo que era nombre de *stripper*.

—¿Por qué dices eso?

Me contestó que era una broma. Le pregunté dónde estaba la gracia y me explicó que era divertido porque yo no era una *stripper* de verdad. Le dije que me estaba mareando, fui al baño y me senté en un cubículo a escribir: lo siento, borrar, escribir, borrar.

* * *

—¿Quién pintó la *Mona Lisa*? —preguntó una de las niñas.

—Leonardo da Vinci —contesté.

Daba igual lo nefasto que fuese todo lo demás. Podía sumergirme en el mundo de mis alumnos lo suficiente para estar satisfecha conmigo misma por saber cosas como esa. No era solo un asunto de personajes famosos. Les facilitaba el verbo para describir lo que se hacía con un cuchillo («cortar») y sentía que se me había concedido uno de los cerebros buenos. Por eso la gente se hacía profesora, pensé. No era para ayudar a otros. Era para ser la persona más lista del lugar, siempre, o al menos para tener a alguien que confiase lo bastante en que ibas a serlo para calificar eso como tu trabajo y pagarte por hacerlo. En realidad, que mis niños de ocho años supieran de la existencia de la *Mona Lisa* era más impresionante que el hecho de que yo supiera quién la había creado.

Me explicaron que habían leído en las noticias que Leonardo da Vinci pertenecía a un («culto», les aclaré) y que había dejado («símbolos», dije) en el cuadro. Les pregunté si se referían a que Leonardo era de los Illuminati, dibujando un triángulo en el aire con el índice. Me dijeron que quizá.

La *Mona Lisa* tenía números y letras en miniatura pintados en los ojos. Eran invisibles desde lejos, pero se veían si usabas una («lupa»).

—Señorita, ¿usted fue a París? —me preguntó uno de los niños.

Tendría que haberme dicho «¿Usted ha ido?», aunque solo tardé un segundo en entenderlo. Le contesté que sí «había ido» y confié en que de ahí dedujese que debería haber utilizado el aspecto perfecto. Los niños dibujaron la Torre Eiffel en la pizarra.

—Terminó —dijo Phillip Goh.

Le recordé que era «Terminé» y que aún mejor era decir «He terminado». A Phillip podía corregirle las respuestas mecánicamente. Si todos los estudiantes fueran tan buenos como él, pensé, la IA me iba a convertir pronto en alguien redundante. En cierto modo, mi seguridad laboral se beneficiaba de garantizar que siguieran cometiendo unos cuantos errores. Escribí «¡Genial! :)» al final de la página, consciente de que un ordenador también podría hacer eso.

Alguien más preguntó:

—Señorita, ¿tiene usted marido?

* * *

Los borradores de Edith progresaron desde la clara humillación hacia algo áspero y confesional.

> no puedo creerme q pienses q soy desapegada. tengo más sentimientos q el sistema nervioso central. pero no fue eso lo q dijiste, ¿no? dijiste q yo quiero *pensar* q soy desapegada. mira, es verdad. la gente me odiaba en el colegio. en la universidad no le di a nadie esa oportunidad. me sentía como si toda

yo fuese un secreto. ahora sé q lo único q me pasaba era q me gustaban las mujeres, pero pensaba q tenía q ocultarlo todo. creía q si dejaba entrar a alguien, vería lo q había roto dentro de mí. y entonces no solo lo sabría ese alguien, sino yo tb.

Seguí sin mandar los mensajes.

* * *

A mediados de noviembre, Julian y yo fuimos a la catedral de St. John con Miles. Subimos caminando por Garden Road en dirección a las campanas. El exterior era sencillo para ser una iglesia. En la torre había tallado un «RV», por Victoria Regina. El interior me recordaba a la catedral católica de Dublín: paredes color crema, madera oscura. Miles dijo que en uno de los bancos seguía estando la cimera de la familia real británica. Era el que reservaban para las visitas monárquicas antes de la entrega a China. Traté de imaginar una vida tan restringida que allá donde fueses siempre tenías dispuesto de antemano dónde plantar el culo. Si bien a tu constitución le sentaba de maravilla cubrir la dosis semanal de pobres bienaventurados, no era de recibo arriesgarse a sentarse al lado de uno de ellos. Lo de los mansos que acababan de heredar las tierras estaba genial, pero mejor mantenerlos a una distancia desde la que no poder olerlos.

Después, Julian me llevó a almorzar al Sorabol, en Percival Street. Me explicó cómo pronunciar *jaengban guksu* y me contó que el sistema de escritura coreano era un cruce entre un alfabeto y un silabario. Quise que soltara todos sus datos más rápido y con más fervor, fui consciente de que eso equivalía a desear que fuese una persona totalmente distinta y supe con exactitud quién era esa persona.

Se encendió un cigarro mientras salíamos.

—Entiendo que no quieres hablar —me dijo—, de lo que sea que te pase.

—No. Pero gracias.

* * *

Edith no había abierto mis historias de Instagram desde nuestra ruptura, hacía un mes. Sabía que eso no significaba necesariamente que no estuviese pensando en mí, porque yo no abría las suyas y pensaba en ella sin cesar, pero Edith estaba ocupada y recibía cariño suficiente y yo no. Descubrí un truco que consistía en darle a la historia que iba después de la de Edith, luego arrastrar hacia la derecha, hasta la mitad, y ver parte de lo que había publicado ella sin que Instagram registrase que lo había abierto. Una vez, por accidente, arrastré el dedo del todo. Casi se me cae el teléfono al suelo. El contenido en sí no justificaba mi ansiedad: era una foto de uno de sus *chai lattes* en Sheung Wan. De todos modos, le hice una captura de pantalla; si Edith iba a ver que la había estado «stalkeando» al menos quería conservar algo de la experiencia.

Deseaba que alguien nos hiciese daño a Edith y a mí de algún modo que nos uniese, como que nos robasen a las dos los ahorros de nuestras vidas o publicaran las fotos que nos habíamos estado enviando por internet. Entonces odiaríamos a la persona que nos hubiese estafado o hubiese publicado desnudos nuestros por venganza o lo que fuera, y volveríamos a gustarnos sin que yo tuviese que echarle valor. En realidad, no quería que pasara nada de eso, obviamente. Solo sentía que cualquier cosa sería más fácil que disculparme. Edith me había aterrorizado al amenazarme con romper. No podía pedirle perdón, porque volvería a sentir ese mismo miedo.

> rompí contigo xq me amenazaste con romper tú conmigo. sentí tu poder y quise sentir el mío. lo hice. funcionó. es una mierda.

45

Había sobrevivido a mi primer invierno en Hong Kong sin Edith. El segundo estaba resultando ser todo un reto. La percepción de banquero que tenía Julian sobre lo que era una caminata se me había contagiado tanto que me pasaba la vida entre cuatro sitios: el apartamento, la escuela, el Starbucks y el 7-Eleven, todo en la misma línea de metro. Por la mañana me mezclaba con la fila vertical y horizontal de trabajadores, caminar-ascensor-caminar-metro-caminar, y buscaba cosas en el móvil. Descubrí que en Colombia también había escaleras mecánicas exteriores, que 7-Eleven estaba en diecisiete países y que Starbucks se había metido en el comercio de aletas de tiburón de Hong Kong.

Dar clases me mantenía ocupada. A veces aguantaba hasta la hora del almuerzo sin empezar otro borrador para Edith.

> las mujeres me gustaron primero. luego vinieron los hombres. cdo aprendí lo q significaba el amor, resultó q era q me gusta-

sen las chicas. pero cdo aprendí lo q significaba q me gustasen las chicas, resultó q eso era una acusación. creo q x eso me cuesta amar. mis primeros recuerdos del amor están envueltos en mis primeros recuerdos de sentirme odiada. sé q tú también has pasado x eso y no es una excusa. pero ojalá pudiera hablar contigo de esto.

En la sala de profesores conté que le había echado una bronca a Jessica Leung por acoso. Los profesores comentaron que «echar una bronca» no era un lenguaje apropiado. Steve de Vancouver dijo que sonaba a eufemismo. Yo le expliqué que los irlandeses seríamos muchas cosas, pero máquinas de expurgación no. «Montar» era casi el término más literal con el que describir el sexo, al menos para la aburrida gente hetero. En irlandés de verdad, les conté, se decía «ag bualadh craiceann»: golpear la piel. En Dublín un meneo no era más que moverse, pero en el resto de Irlanda se usaba también cuando te dabas el lote con alguien. Madison de Texas fue a decir algo. La interrumpí. Me di cuenta de que Edith me había enseñado mucho sobre frenar a los imbéciles, y de que los imbéciles tenían suerte de que hubiésemos roto antes de que yo perfeccionase esa habilidad hasta el punto de no dejarles decir nada.

Nunca solía hablar sobre Irlanda con mis compañeros de trabajo, ni sobre sexo tampoco, ni de nada interesante. Ni siquiera lo había intentado. Sabía que estaba mediando mis nuevos esfuerzos a través de la aprobación imaginada de Edith, aunque en realidad ella me odiaba, y con razón.

me muestro indiferente con mi familia pero no tengo ni idea de cómo se lo toman ellos. creía q mudarme a hong kong ayudaría, pero al final tengo más cosas q ocultar. por tom no hay problema, y creo q george y mis padres votaron q sí al matrimonio igualitario, aunq también lo hicieron las niñas de sexto q se inventaron q me había tirado a mi mejor amiga y ella me dejó de hablar xq las otras iban diciendo eso. ¿sabes lo q duele ver en sus perfiles «SÍ IGUALDAD 2015»? lo peor es q ni se acordarán. ahora se creen *aliadas*. y a lo mejor lo son. pero q se jodan.

Mis niños de doce años estaban con los sustantivos cuantificadores: un tubo de, una pila de, una barra de. Algunas palabras solo iban con ciertos sustantivos y no se aplicaba, les informé alegremente, ningún tipo de lógica para ello. Asintieron. No esperaban que hubiese lógica ninguna. Después de todo, era inglés.

Hicieron sus ejercicios. Mientras trabajaban, pensé en Edith. Una vez me había explicado que el cantonés lo contaba casi todo usando una palabra de unidad. Edith me recordó que en inglés pasaba lo mismo a veces: podías tener una pizca de sal, pero no una rebanada de sal o una botella de sal, y decías «un par de zapatos» más que «dos zapatos». Entonces me dijo que imaginase que la mayoría de los nombres estuvieran sujetos a esas limitaciones. «Así es el cantonés. Así es como funciona.»

Me hizo repetir frases después de decirlas ella. «Yat daahp bouji»: una pila de periódicos. «Go bat chin»: una suma de dinero. «Li peht laih»: esta parcela de tierra. Le pregunté cuándo preveía que fuese a necesitar yo hablar sobre esta o aquella parcela de tierra en un futuro cercano, y me contestó que de todas maneras yo nunca hacía nada práctico con mi vida, así que no tenía sentido centrarse en frases útiles entrecomilladas.

Otro borrador:

eso q dijiste de q julian me permite pensar q soy desapegada es cierto. así somos. pero tb hay fricción. dijiste q es normal sentir algo cdo hay una historia detrás, pero no creo q el tema sea q él me siga atrayendo. hay un poco de eso, pero nada importante. es más bien q no podemos hablar con casi nadie pero entre nosotros sí. un 99 % de mí no quiere mandarte estos mensajes por miedo, pero el otro 1 % piensa q quieres que corte con él del todo y no creo q sea necesario. «fricción» es una palabra demasiado sexi para lo q quiero decir. elegiré una palabra mejor en el próximo borrador. es más bien... q somos personas parecidas.

Aquel día, cuando aún nos hablábamos, le había contado a Edith que en irlandés hacíamos cosas raras con la enumeración (dos podía ser «dhá» o «dó» o «a dó» o «beirt»), aunque no estaba segura de si la parte gramatical del asunto estaba relacionada con los clasificadores de cantidad o con algo totalmente distinto. En el colegio no nos lo explicaban. Edith me dijo que tampoco nadie le había explicado nunca los cuantificadores cantoneses, pero que los entendía de manera intuitiva.

—Ajá —comenté—. Bien hecho, Doña Hablante Nativa. Enhorabuena por que nadie te haya robado tu lengua nacional.

Me contestó que si me apetecía jugar a las Olimpiadas de la Opresión Colonial, adelante. Le dije que no quería jugar a las Olimpiadas de la Opresión Colonial.

—Buena decisión, porque la gente blanca por lo general perdéis siempre —respondió.

tuve q estar con julian antes de poder enamorarme de ti. me dio miedo la primera vez q me acosté con él. pensé q sería mala y q julian me odiaría. todos mis pasos me daban miedo.

me dio miedo contigo tb, pero estaba preparada para sentir ese miedo.

La noche antes de ir a conocer a la señora Zhang, había expresado en voz alta mi preocupación por usar solo el nombre inglés de Edith y le había preguntado si con eso estaba obviando algún pilar de su personalidad. Se echó a reír y me explicó que su familia utilizaba Edith con más frecuencia que Mei Ling y que ella se identificaba mucho más con el primero. No me dijo que estuviera siendo condescendiente con ella. No le hizo falta. Deseé tener su talento para hacerse entender.

—Señorita, ¿esto está bien?

Miré y vi que Anson Wu había señalado con un círculo «un kilo de libros». Desde luego podían pesar eso, pensé, y más si eran los de Julian, pero la hoja de respuestas no opinaba lo mismo.

46

Julian, Miles y yo volvimos a la catedral de St. John el tercer domingo de noviembre. El sermón era sobre el examen final que se avecinaba. Ante Cristo tendríamos que responder por todo: palabras, obras, pensamientos. Miré el banco de la realeza y me acordé del RV, Victoria Regina, del campanario. En 1841 Victoria escribió: «A Alberto le divierte muchísimo que me haya quedado con la isla de Hong Kong». Edith me lo había contado y había añadido que a ella también le habría resultado hilarante que la dinastía Qing le hubiese dado un feudo.

Esa noche, Julian y yo hablamos en el salón. Me contó que su exnovia de Oxford era como yo. Había tarareado la música de Darth Vader cuando Julian le había contado que estaba solicitando prácticas para trabajar en la City. Resultó bastante mortificante al venir de alguien que recibía financiación de su padre, fondo de cobertura, para poder hacer prácticas sin remunerar en editoriales, puestos que el mismo padre le procuraba llamando a editores que había conocido en Cambridge. Quizá su ex fuese una persona mejor a esas alturas, me dijo. Todo el mundo era terrible con veinte años.

—No te preocupes, tú con veintinueve sigues igual —respondí. Y añadí—: Un momento, ¿era Charlie, la anarquista?

—No. Charlie molaba. Esta era Maddy.

—Tú y tus ligues de izquierdas.

—Kat es *tory*.

—Igual que Kate Bush. Nadie debería ponerle Katherine a su hija.

Habría sido más gracioso si le hubiese dicho: es mejor que no le pongamos Katherine a nuestra hija, pero me parecía que Julian tenía miedo (como solía pasarles a los hombres heteros) de que yo quisiera tener hijos suyos en secreto.

Evité también soltar alguna ocurrencia sobre por qué le gustaban las mujeres cuya hostilidad podía calificar él de ideológica. O sobre por qué, si te ceñías a la narrativa defendida con frecuencia por los veinteañeros seguidores de Blair de haberse graduado en el centrismo, él había madurado hasta enamorarse de una *tory*, la había perdido y había regresado a lo que, con bastante seguridad, Julian pensaba que era follarse a una chica con opiniones de universitaria. O sobre por qué se odiaba a sí mismo por ello, por motivos con los que yo no podía torturarme detalladamente porque no lo entendía a él lo suficiente. O sobre por qué la clara existencia de esos motivos, en cualquier caso, hacía que fuese complicado mirarlo mientras pensaba en secreto que al menos yo no sacaba la mierda de Rosa Luxemburgo en las fiestas mientras sus amigos me repasaban el vestido y hablaban de mí en lo que creían que era un volumen lo bastante elevado para que él lo oyese y lo bastante bajo para que yo no, pese a estar en realidad mucho más cerca de mí que de él, algo que les encantaba hacer.

No quedaba más Clos de Vougeot, así que tomamos Clos de la Roche. Le dije que Ollie de Melbourne, del trabajo, me había contado que los australianos bebían vino de una bolsa. Se llamaba goon. Los expertos en estadística debatían sobre si ese vino era más responsable de la tasa de natalidad del país o de su tasa de mortalidad.

—Por cierto, he roto con Edith —solté.

—Joder. ¿Estás bien?

—No.

—¿Quieres hablarlo?

—No.

—¿Quieres más pinot noir?

—No.

—¿Quieres goon?

—No tienes goon.

—Tengo pinot noir.

Mientras lo servía, me explicó que el vino tenía notas minerales, taninos redondos y final largo en boca. Yo respondí que olía a vino. Julian dijo que *clos* significaba «viñedo» en francés. Nuestro cacareado Clos de Vougeot («Tu cacareado Clos de Vougeot —maticé—. Yo no cacareo viñedos.») lo fundaron unos monjes cistercienses. Este y el Clos de la Roche estaban entre las muchas denominaciones francesas *d'origine contrôlée*, que impedían legalmente el uso del nombre de la región sin pasar unos controles de calidad.

—Cuando Kat cortó conmigo —dijo Julian, como si fuese algo que fluyera naturalmente—, por teléfono, debo añadir, porque es importante el detalle de que no estábamos en la misma habitación, me dieron ganas de tirar una botella. Decidí no hacerlo porque era mi vino.

—Entonces tirar el vino de otra persona es una reacción sensata cuando te rompen el corazón.

—Sí.

—¿Cómo de apegado estás al merlot?

—Más que a ti.

—Eso no es mucho decir.

Estuvo de acuerdo.

—Bueno, ¿podemos echar un polvo? —dije.

—¿Ahora?

—Sí.

—¿Estás segura de que no prefieres tirar el merlot?

En cierto modo quería acostarme con él, y en cierto modo lo disfruté. Probablemente fuese la catarsis de aceptar que nunca iba a ser mi novio. No dije nada satírico y acepté sus halagos sin apostillar que sabía que solo porque a él le gustase mi cuerpo no iba a ser yo capaz de lo mismo. Fue como beber algo que hubiese esperado a que se enfriase, me hubiese parecido aún demasiado caliente y me lo hubiera tragado de todos modos porque yo misma llevaba demasiado tiempo con frío.

Dado que en esos momentos me sentía segura y no había sido así la última vez que me había acostado con él, podían formularse varias teorías sobre quién me había ayudado a cambiar de verdad.

Y aun así al terminar tuvimos que hacer que aquello no significase nada, por diferentes motivos personales.

—De ocho para abajo, mala decisión —dije.

—Nueve, sin duda.

—Ocho y medio. Y siete de esos son por mí.

—Rob cree que eres un nueve. Lo que demuestra que los abogados no saben sumar.

Julian había intercambiado en secreto al encantador Seb

por Rob desde la fiesta de febrero. Supe que tendría que evitar a Rob si el nombre volvía a cambiar.

Pasamos un rato sin decir nada hasta que Julian comentó que a menudo se sentía nervioso estando conmigo. Un año atrás, habría dado la vida por oír eso. En aquellos momentos, apenas reparé en el comentario. Le dije lo que él quería oír: que nunca me había dado cuenta. Julian había pasado años en la escuela privada aprendiendo a fingir seguridad en sí mismo, me dijo, probablemente demasiada seguridad para el gusto de alguna gente y sin duda demasiada para el gusto de una irlandesa cáustica que se encontraba justo en su cama; pero ahí estaban los nervios.

Quise preguntarle qué era lo que le ponía nervioso, pero sabía que solo iba a hacerlo con la esperanza de que volviese a llamarme cáustica. Era igual de plausible que me dijese: me pones nervioso porque muchas veces parece que me detestas de verdad. Y que añadiera: si tanto me odias, vete. Admito no ser una persona con la que querría estar alguien que tuviese una actitud sana ante la intimidad, pero si lo fuese tú no estarías aquí. En realidad no quieres probar la coca, y asegurar lo contrario no queda bien en una comunista. Tu interés en el colonialismo es a veces moralmente serio y otras veces algo que sacas cuando estás aburrida de odiarme por ser rico y hombre y no puedes odiarme por ser blanco porque tú también eres blanca. Cuando encuentras a gente a quien no puedes odiar por esos motivos, como la señora de la limpieza, finges que esas personas no existen. La verdad es que eres muy buena consiguiendo lo que quieres. A menudo lo consigues sin decir que lo quieres o sin ni siquiera reconocerlo en privado, y eso te permite seguir viéndote a ti misma como alguien que flota. En realidad eres más bien una diosa del agua salada.

(Seguro que Julian habría especificado una deidad clásica en concreto, pero no era mi culpa no haber ido a Oxford.)

Y continuase: todo lo de antes es cierto, no siempre, pero con la frecuencia suficiente para formar parte de tu personalidad. Sin embargo, por debajo de eso, la principal razón de que me odies, cuando me odias, es que te aterra la vulnerabilidad. Y eso se debe a que otros han sido desagradables contigo en el pasado, aunque también a que no te gustas a ti misma y estás segura de que cualquiera que se te acerque opinará igual. Por eso la gente tiene miedo de ofrecerte intimidad. Saben que los vas a rechazar. Has roto con el amor de tu vida porque has visto cuánto poder tenía para hacerte daño.

No me parecía que todo eso se ajustase con precisión a lo que Julian habría dicho si le hubiese preguntado por qué lo ponía nervioso, pero lo consideré un conato acertado.

—¿Cuál es la diosa del agua salada? —le pregunté.

—¿Qué?

—En la mitología griega.

—Salacia. Romana, no griega. La consorte de Neptuno.

—Me ofende que no vayas a darme coca.

—Consigue tú la tuya —me dijo—. Dios santo.

* * *

Edna Slattery acababa de pintar la puerta principal de morado. Había pagado la pintura, también la casa y también al pintor, así que mi madre admitía que, legalmente, no había peros que ponerle. Pero era un color desafortunado. No se podía confiar en los Slattery para cuestiones decorativas. Jim tenía daltonismo parcial, algo de lo que todo el mundo era muy consciente excepto Edna, que siempre le pedía opinión y él decía que todo bien porque no quería estar recordándole constantemente a la señora sus variados desajustes visuales. Edna ya tenía bastantes frentes abiertos. Ella misma lo decía. Mientras que otras personas tenían aficiones o intereses, Edna Slattery tenía disputas. Y así, dijo mi madre, era como terminaba una con las puertas moradas.

—¿Cómo está papá? —le pregunté.

—No le gusta la puerta. Y tiene que pasar por al lado de camino al trabajo.

—Pobrecillo.

—Y la tía Kathleen llega la semana que viene. ¿Te importa si la instalamos en tu habitación?

—Ahora es más bien la habitación de Tom.

—A él ya le he preguntado.

—Dile a la tía Kathleen que he estado preguntando por ella.

—Intentó mandarte una tarjeta de cumpleaños, pero se la devolvieron en Correos. Me llamó para decirme que le había dado la dirección mal y entonces me la leyó en alto y resulta que había escrito: «Mid-Levels, Hong Kong Island, Hong Kong, Corea».

—¿De dónde se sacó lo de Corea?

—Del mismo sitio del que se sacó al tío Ger.

Hablamos de cuándo iban a convocar el referéndum sobre el aborto. Yo confiaba en que avisaran con tiempo suficiente para comprarme un vuelo barato. Le dije a mi madre que mi amigo británico (ella no lo conocía) se había negado a creerme cuando le había contado que tenía que ir a Irlanda para votar. «No puede ser que un país funcione así», me había dicho, y luego se había pasado media hora investigando sobre el asunto antes de volver y explicarme que tenía que irme a Irlanda a votar.

—Así son los británicos —me respondió.

Mi madre ya me había hablado otras veces sobre el año que pasó trabajando en un restaurante de Londres. Tenía entonces diecinueve años. El conflicto norirlandés estaba en todos los periódicos y los británicos le preguntaban si ella era de «su parte» o de «la otra parte», o «Éire». (Me daba la impresión de que a los británicos había dos cosas que les gustaban más que a un tonto un lápiz: demostrar que sabían palabras extranjeras y evitar tener que decir «República».) En aquella época, Camden era la zona a la que Londres mandaba a los irlandeses, me contó mi madre. Yo le dije que Londres nos mandaba ya a todas partes. No le quedaba otra, por la cantidad de gente que había.

—Mamá, ¿alguna vez te ha dado miedo pedir perdón?

Me dijo que sí. Si no tenías miedo de hacerlo, probablemente tampoco lo sintieras de verdad.

—Y entonces ¿cómo se hace?

—No tienes por qué decirlo todo. Di solo aquello de lo que estés segura —me respondió.

No le pregunté qué decía una cuando no estaba segura de nada.

* * *

Me resultaba más fácil imaginarme con Edith cuando ya no estaba conmigo. Podíamos vivir donde se nos antojase. Daba igual cómo fuera nuestro piso; ella encontraría una manera de ponerlo bonito. Se entusiasmaría con cosas y me diría que me quería y me contaría que a veces sentía miedo. Yo me ponía a pensar en todo eso y me daba cuenta de que en buena parte no era un futuro imaginado. Eran cosas que habíamos compartido en un pasado reciente. Había roto con alguien que me había dicho cómo se sentía, y había vuelto con alguien que o no me lo decía o no sentía nada.

47

Había un problema, dijo Julian, con la división del trabajo en el Starbucks de Caine Road. En el cuarteto que atendía, normalmente dos se ocupaban de recibir los pedidos, un tercero preparaba las bebidas y el cuarto alternaba entre esa tarea y correr al almacén. Sin embargo, habían elegido un domingo por la mañana para iniciar a un barista en formación, lo que provocaba una escasez de mano de obra por partida doble: solo tenían a tres empleados competentes, por un lado, y además uno de ellos pasaba la mitad del tiempo ocupado con sus tareas y la otra mitad orientando al novato.

Era la última semana de noviembre. Daba la sensación de que Julian había vuelto hacía mucho más de tres meses y me pregunté si el tiempo alguna vez tenía sentido en Hong Kong.

Avanzábamos lentamente en la cola. Le dije que me parecía graciosísimo que el letrero del mostrador invitase a nuevos «socios» a solicitar un trabajo, pero que me preocupaba que mi risa reflejase la convicción de que los empleos de salario mínimo no merecían nombres grandiosos.

—Nunca desconectas, ¿eh? —comentó Julian.

—Tú eres el que se ha puesto a analizar la escasez de mano de obra.

—Eso dice mucho de nosotros: las cosas en las que creemos que merece la pena ahondar y las que no. Supongo que es como lo de que en irlandés haya tantos nombres distintos para las algas.

No le vi ningún sentido a esa analogía, pero me alegré de que recordara lo de las algas. Normalmente no retenía mucho de lo que le contaba sobre el irlandés.

Cuando estábamos ya sentados, Julian me dijo que su banco lo trasladaba a Fráncfort.

Se me cayó la cartera de las manos. Las monedas sonaron contra el suelo.

—Déjalo —le dije, pero ya las había recogido.

Las agarré y las apreté bien para enfriarme el calor de manos, pero fue el metal el que se calentó entre mis dedos.

Era mi turno de hablar. Sabía que debía encontrar una pregunta pertinente.

—¿Cuándo te vas?

—A mediados de diciembre. Dentro de tres semanas, vaya.

Empecé a apilar los dólares hongkoneses en montoncitos de cincuenta. Seguramente no llegasen ya ni a cinco euros. Las divisas fluctuaban. La política europea influía también, por supuesto.

—Con qué poca antelación te han avisado...

—Me lo dijeron hace dos meses.

Julian removía el café formando círculos meticulosos, como generando el remolino propio de una circunferencia solicitada.

—¿Por qué no me lo habías dicho?

—Pensé, con lo de Miles... Me lo dijeron en septiembre, a finales, y pensé en rechazarlo si... No tenía sentido contárselo a nadie hasta decidirme del todo.

Yo había avanzado más en mi bebida que Julian en la suya, lo que significaba que de nuevo era cosa mía seguir con la conversación.

—¿Te van a dar un aumento? —le pregunté.

—Sí.

Ese dato era un consuelo. Al menos no me estaba abandonando por cobrar el mismo dinero en un país más frío y menos interesante. Conté mis montoncitos: trescientos dólares hongkoneses en total. Serían unas cuatro horas de alquiler.

—Quería decírtelo en un espacio neutral —añadió.

Yo quería decirle que no se preocupase, que la noticia no era importante para mí, pero no vi ninguna manera natural de expresarlo.

—¿Me vas a echar de menos? —le pregunté.

Confié en que mi voz transmitiese que sabía que no tenía sentido estar triste sencillamente porque alguien con quien había vuelto a acostarme se mudaba.

—Necesito un cigarrillo. ¿Podemos seguir con esto luego? —respondió.

—Por mí, bien.

—Eres bastante importante para mí.

—¿«Bastante»?

—De eso ya hemos hablado.

—Ah, ya, lo del «bastante».

—Sí, pero si lo prefieres, eres «muy» importante para mí. —Me las habría apañado sin las comillas—. Deberías venir a visitarme.

Era lo más cerca que iba a llegar Julian de decirme que no quería que me fuese con él.

—Estarías demasiado ocupado para verme. Sobre todo si es un puesto importante —respondí.

Sonrió como si yo acabase de saldar una pequeña deuda con él y darme las gracias fuese un acto embarazoso para los dos.

—Bueno, quería preguntarte si podrías seguir pendiente de Miles mientras estoy fuera. Sé que ya va mejor, pero la compañía seguro que le sirve.

—Claro.

Mis dólares hongkoneses probablemente equivaliesen a treinta euros, quizá menos a esas alturas. El dólar hongkonés estaba vinculado al dólar estadounidense, aunque eso solo servía de algo si sabías cómo iba el dólar estadounidense, y sus respectivas liquideces influían en el valor de ambos en el mercado de divisas. Los agentes tenían nombres para los pares de divisas: euro, cable, gopher. Algunas de las monedas estaban ya mugrientas y otras eran nuevas, pero eran intercambiables porque el dinero era fungible. Pese a que yo ya conocía esa palabra, fungible, en su sentido general, Julian me había explicado cómo la usaban los economistas. Me había explicado un montón de cosas.

—¿Sabe Miles que te vas? —le pregunté.

—Sí, se lo conté hace unas semanas.

—Correcto. —Lo dije del mismo modo en el que lo decía él siempre.

—Y por cierto —continuó Julian—, tenemos que averiguar dónde vas a vivir.

—Ya me las apañaré yo.

—¿Vas a poder? Sé que me has comentado que tu sueldo no es muy alto.

—Está bien en comparación con el de la gente de aquí. Y todo el mundo tiene donde vivir.

—Sí, con sus padres, o en casas ataúd.

—De verdad que no es tu problema en absoluto —le dije. No era lo que tenía previsto responderle, pero mi boca se retorcía como si otra persona la controlase—. Gracias por la habitación de invitados. Y ya está. Se ha acabado. Gracias.

Los dos nos mostramos de acuerdo, usando determinadas expresiones, en fingir que yo no estaba a punto de llorar. Pensé que era una prueba de generosidad por parte de ambos.

—Me has traído aquí para que no pudiese reaccionar así delante de todo el mundo —le dije.

—Está claro que traerte al Starbucks ha sido una estrategia genial para evitar que reacciones así.

—No he dicho que te haya funcionado. He dicho que era lo que pretendías.

—Eso no ayuda en nada, Ava.

—¿Y por qué iba a tener que ayudarte?

—No tienes que ayudarme. Pero es probable que a los dos nos venga bien que trates de ayudar en esta situación.

—¿Esta situación que tenemos tú y yo? No creo que haya nada que yo pueda hacer para ayudar.

Me pareció increíblemente injusto que Julian supiera lo que iba a decirme antes de saber yo siquiera que la conversación iba a tener lugar. Lógicamente, no era una queja válida, lo sabía. Tienes que ordenar las cosas en tu cabeza antes de decirlas en voz alta, y cuando alguien se marcha es un hecho que una persona lo va a saber antes que la otra. Mi queja en realidad se basaba en que estaba a cargo de la situación él y no yo. Pero no podía reclutarlo para que se quedara conmigo, y en cualquier caso Julian tampoco me gustaba mucho. Ni tampoco necesitaba que me dijera cuántos euros eran los dólares hongkoneses. Había una aplicación para saber eso.

—No voy a hablar contigo —le dije.

—Ya veo.

—No, pero que no.

—Sí, es evidente que es así.

* * *

No preocuparse por el dinero era un rasgo de la personalidad de alguna gente. En internet había visto que la ex de Julian, Charlie, vivía en Shoreditch y decía, sin explicar nada más, que se dedicaba a «crear». Si tu trabajo era un verbo sin objeto directo, eso significaba que lo subvencionaba tu fideicomiso. Bien por Charlie. Maravilloso que Charlie fuese un espíritu libre. En mi caso, la decisión se reducía a cualquier cosa que cubriese un alquiler. A veces había múltiples maneras de pagar un alquiler y tenía que elegir entre todas ellas. Y otras veces no había ninguna.

Pasaba el rato en el balcón de Julian (aprovechando que aún podía). Las nubes surgían infladas y las carreteras aparecían henchidas de coches. El primer Airbnb en el que había vivido estaba abajo, al otro lado del puerto. Volvería allí, o a un sitio similar. Me había sentido distinta alejada de las cucarachas, pero me di cuenta entonces de que ellas y yo teníamos mucho en común: insectos, trepadores, frío por dentro. Medrábamos en entornos hostiles. Había sitios que se nos daban mejor, pero ninguno podía matarnos. Las odiaba no porque fuesen contaminantes, sino porque no lo eran. No había ningún patógeno que ellas pudiesen extender y no llevara yo misma encima. Al vivir arriba, lejos de ellas, lo había olvidado. Me había creído que era de sangre caliente.

* * *

Aquella noche, en su cama, le dije a Julian que otra vez estábamos en situación de hablarnos. Me respondió que no veía la relevancia práctica de ese dictamen, dado que yo había seguido diciendo palabras y dando sus respuestas por recibidas mientras aparentemente no le hablaba, aunque agradecía el detalle.

—Pero no creo que nunca haya estado obsesionada contigo en un plano romántico, ni siquiera en uno sexual —le dije.

—Yo nunca he estado obsesionado contigo, punto.

—Creía que habíamos superado eso.

—No, en serio. La única obsesión para la que tengo sitio es mi trabajo.

—Correcto. Porque estás muy ocupado y eres muy importante.

—Creía que también habíamos superado eso.

Me pregunté si de verdad Julian querría que fuese a visitarlo y si podría presentarme en Fráncfort con mi maleta y mi abrigo de invierno. Solía decirme que no conocía a mucha gente como yo. Aunque yo no sabía si eso significaba que había necesariamente una vacante para alguien así. Julian había conseguido llegar bastante lejos sin mí, así que no tenía sentido dar por hecho que me fuese a acoger de vuelta en su vida.

—Gracias por tu tiempo —le dije.

—Lo mismo digo. Hacía bastante que no era tan feliz.

—Dios santo, entonces es que debes de haber sido malísimo follando.

Se echó a reír. Siempre lo hacía reír diciendo algo cínico con un acento dublinés más marcado del que tenía en realidad.

Seguidamente dije una serie de cosas. Dije que nadie me hacía reír tanto como él (hecho que se acercaba a la verdad lo suficiente para ser verdad) y que lo iba a echar de menos.

—Y siempre dices que no tiene importancia cuando me compras cosas, pero piensas tanto en el dinero que doy por hecho que para ti no es tan insignificante. Así que es un detalle por tu parte que te lo gastes en mí. Nunca has estado disponible para mí, y me he pasado mucho tiempo resentida con eso, pero tampoco es que yo me haya abierto en canal a ti. Y me presentaste a Miles. Me llevaste a verlo al hospital. Me has contado más sobre Kat de lo que yo te he dicho sobre mis ex. Y fuiste mi primer amigo aquí.

—Gracias... Creo. La mayoría de todo eso ha sido bastante halagador.

Y añadió que había pensado en algo que le gustaba de mí.

—Eres erudita —me dijo—. Cuidas el lenguaje, a todo le exprimes el significado y no te contentas fácilmente con cómo construye otra gente las frases. Me parece una cualidad interesante en una persona que no sabe distinguir oralmente la fricativa sorda de la sonora. Pero cuando se trata de dinero, no tienes gusto ninguno. Ni escrúpulos: ni para pedirlo, ni para hablar de él ni para abastecerte de él. No suelo encontrarme con gente que sepa manejar el dinero sin achantarse. A todo el mundo le avergüenza. Se sienten en un compromiso con solo mencionarlo. Aunque con otras cosas te pasa eso, con el dinero no. Cuando se trata de dinero, eres como un animalillo. —Y añadió—: Me ha dado miedo pedírtelo antes, pero... vente conmigo a Fráncfort.

Me oí a mí misma responder que sí.

48

Diciembre

Al día siguiente, en la pausa del almuerzo, empecé a escribir un mensaje nuevo para Edith. Dentro de la lógica de nuestra correspondencia imaginaria, se merecía una explicación fantasma.

> aquí no hay nada para mí. tú, tony y cyril erais las únicas personas con las q encajaba. un poco con miles, un poco con los otros profesores, pero nunca del todo. hong kong no me ha hecho feliz, así q supongo q voy a intentarlo en fráncfort con un banquero q vendería a su madre x diversificar su cartera. no es justo decir eso de julian. pero nada de esto es justo. y está bien q yo lo diga, xq cuando digo q no es justo significa q es culpa mía.

Dejé de escribir. Nada de eso le importaba ya a Edith.

En una ocasión Edith me había preguntado cómo tomaba mis decisiones. Yo le dije: mal, ¿y tú cómo? Me respondió que hacía listas de pros y contras.

—Normalmente lo sopeso todo, porque algunos pros son más pro que otros y algunos contras son más contra. Y hace falta una columna en la que poner las implicaciones.

—¿Implicaciones?

—Efectos colaterales de posible relevancia. No son puramente ni pros ni contras, porque no sabes seguro si se darán, pero sí son lo bastante probables para tenerlos en cuenta. Mi preferida es la tabla PNI.

—¿Cómo?

—Positivos, negativos, implicaciones.

En una servilleta me dibujó una tabla PNI de muestra. Siempre estaba dibujándome cosas en servilletas.

Le pregunté cómo se había decidido por el derecho. Edith me dijo que era eso o medicina, y en derecho te graduabas antes. «¿Y por qué Cambridge?», le dije, y me contó que porque su profesora favorita había estudiado allí. La decisión más dura que había tomado había sido la de salir del armario en la universidad. Los estudiantes internacionales de Hong Kong hablaban. Si alguien hubiese querido arruinarle la vida, podría haberlo hecho con toda facilidad contándoselo a los Zhang. Pero tal y como Edith lo veía, nunca sería feliz si no podía aceptarse a sí misma. No había necesitado una tabla PNI para eso, aunque lo recomendaba igualmente como ejercicio.

Pasadas tres semanas, nos separaría un continente.

* * *

En su penúltima clase antes de Navidad, mis niños de doce años aprendieron que los hablantes de inglés británico distinguían siempre entre *bring*, «traer», y *take*, «llevar». «Traer» era para cosas que venían de allí hasta aquí, por ejemplo: «Te traeré unas galletas de la otra habitación». Sin embargo, «llevar» era para cosas que se movían de aquí hasta allí, por ejemplo: «¿Puedes llevar las galletas de nuevo a la otra habitación?». El libro decía que la capacidad de un hablante para entender esa distinción era una forma segura de saber si era o no nativo.

Yo nunca había oído hablar de esa norma del traer/llevar. En Dublín se usaba casi siempre «traer». Las frases de ejemplo que el libro recogía como «claramente nada naturales» e «incorrectas» a mí me parecían perfectas: «Te traeré al aeropuerto mañana», «Me traeré la cámara cuando vaya a España de vacaciones». El libro siempre mencionaba destinos europeos para viajar.

Practiqué en mi cabeza para asegurarme de usar el verbo correcto con Julian cuando se marchase la semana siguiente. «No te olvides de llevarte la maleta.» «¿El taxi te llevará a tiempo?»

Nos habíamos peleado sobre si volar en *business* o en turista. Julian me dijo que me compraría el billete en *business* para tener a alguien con quien hablar. Yo le dije que la gente pensaría que me lo había pagado yo y que no me veía capaz de superar esa vergüenza social. Imagínate, le expliqué, que te vean como a la clase de persona que pagaría tanto dinero por un asiento, solo un asiento. Julian repuso que nadie pensaría nunca que yo había pagado un billete en *business*. Le contesté que por qué coño decía eso, y me dijo que su intención era confortarme y entonces la discusión dejó de ser por los billetes. Al final dio igual, porque en el trabajo necesitaban que me quedase una semana más hasta que se solucionase el visado de la persona que me sustituiría. «Eso no es problema tuyo», dijo Julian. Le respondí que no, que no lo era, pero que no me importaba.

—Pues sigo sin entenderlo —dijo Tammy Kwan después de que les explicase lo del traer/llevar por cuarta vez.

Tammy Kwan tenía toda mi simpatía.

* * *

No había sitio para hacer una tabla PNI en condiciones en la servilleta de Edith. Fui al MUJI del Hopewell Centre a comprar papel. Cerca del expositor de papelería había un difusor blanco de perfume, pequeño, que rociaba aceite de madera de cedro. Pagué treinta dólares hongkoneses por un cuaderno grande de papel reciclado con el lomo rojo. Por dentro era liso. La mujer de la caja me dijo que le gustaban esos porque así podías llenar las hojas como quisieras.

Ya en mi habitación, abrí el cuaderno por la primera página y escribí: «Lo siento». Mis alumnos preadolescentes me habían introducido al mundo de los bolígrafos borrables. Les gustaban porque de ese modo nadie se enteraba si cometías un error. Borré el «Lo siento», escribí «Tabla PNI», lo subrayé con un rotulador, también de MUJI, lo repasé con un subrayador, también de MUJI, y empecé.

* * *

Julian y yo habíamos quedado en ir a la playa un domingo a mediados de diciembre, pero por la mañana en las noticias dijeron que la orilla se había visto afectada por un vertido de aceite procedente de las aguas continentales. Pegotes blancos espumosos llenaban la arena como si fuesen poliestireno. Las autoridades estaban cuestionando por qué China había tardado un día en notificar a Hong Kong la colisión de los barcos que había provocado el incidente.

En vez de eso, follamos. Me gustó el clinc autoritario del cinturón de Julian cuando se lo desabrochó. Al terminar, me hice un ovillo, como una cochinilla, y le pregunté por qué quería que me fuese con él.

—No estoy seguro. Supongo que disfruto de tu compañía —me dijo.

—Ni siquiera yo disfruto de mi compañía.

—No, no parece que lo hagas.

—Entonces ¿somos amigos otra vez o qué?

—Siempre hemos sido amigos. Dios mío.

—No tomes Su nombre en vano.

—No crees en nada de eso.

—Siento culpa católica mientras follamos, aunque no estoy segura de si follar contigo es la fuente de la culpa o la penitencia.

—«Mejor que un avemaría.» ¿Puedes ponérmelo por escrito?

Daba igual lo áspera que fuese con él. Al final eso reforzaba su visión de sí mismo como alguien que podía asumir la aspereza y de mí como alguien que lo hacía para agradarle. Julian disfrutaba de mi mordacidad, ante todo, porque era una cosa impresionante que mantener retenida.

—En realidad blasfemas con bastante frecuencia —le dije—. En la cama, digo. Niño.

—Que te den.

Dijo «que te den» a la manera irlandesa, sonriendo. Cuando conocí a Julian, conscientemente había rebajado el uso de esa expresión, y también de «a tomar por culo» y de «qué cabrón», porque el inglés, por algún motivo, no consideraba afectivas esas afirmaciones. Me planteé entonces de qué otras expresiones me habría desplumado Julian. Me sentía como un pájaro que él solo conservaba por sus plumas. Recordé las veces que, tumbada bocabajo, Julian me acariciaba la espalda y yo pensaba, con mucha sensatez: ladrón. Le gustaba el inglés irlandés porque sabía que la mayoría de las palabras interesantes eran las que él nunca diría. Detesté a Julian de un modo violento, pese a que era muy consciente de que la versión en la que yo le removía su poeta interior era más halagadora que probable frente a la versión en la que se había acostumbrado a tenerme y yo no le daba muchos problemas.

Descripción que se ajustaba bastante bien a lo que yo sentía por él.

Empecé convenciéndome a mí misma de que mi actitud era distinta, y luego me di cuenta de que me encantaba la idea de que estuviésemos explotándonos el uno al otro con calma y de que ambos fuésemos a ir al infierno al morir. Si iba él primero, me darían un mayor adelanto por mis memorias. Aquellos días embriagadores de banqueros ladrones, escribiría; y al final acabé sentando cabeza con uno de ellos en Richmond, zona residencial. Él tenía que desplazarse para ir a trabajar y le decía a la gente que era porque a mí, como buena irlandesa, me gustaban los espacios verdes. No se podía plantar un alma celta en Canary Wharf, ni ninguna otra alma, añadía él, irónicamente, claro. Se casó conmigo, se echó una amante y me compró una cocina AGA. Negó que esto último lo hubiese hecho para compensar sus indiscreciones, porque eso significaría que los dos teníamos sentimientos. A menudo, me iba a cenar con su madre.

Dado que Julian nunca sería mi novio, no nos casaríamos jamás. El hecho de poder imaginarme un mundo en el que lo hacíamos, pero no uno en el que éramos felices, resultaba interesante.

No sabía distinguir si Julian pensaba que yo no era lo bastante buena para él, si yo le estaba atribuyendo esa opinión para poder odiarlo o si ocurría algo totalmente distinto. Quizá ese algo distinto fuese que a Julian le gustaba tener dinero y a mí me gustaba que se me dieran bien los hombres. A ninguno de los dos nos gustaban muchas más cosas de nosotros mismos. Julian sabía que era un don nadie en comparación con sus clientes, y yo sabía que los hombres se me daban fatal cuando mis métodos los hacían felices a ellos y a mí me destrozaban. Pero nos respaldábamos el uno al otro. Los egos de los dos prosperaban gracias a que él era el hombre más rico que a mí se me había dado bien en la vida.

Ni siquiera esa idea era la peor. Nada expresable con palabras podía serlo. En mi interior había algo. Y siempre que ese algo rebotaba en mi conciencia, yo lo reconvertía en otra cosa.

Pero me iba a ir a Fráncfort. Encajábamos. Julian era mejor persona que hacía un año, una tendencia positiva que yo esperaba que continuase. No tenía pruebas de que él deseara ningún cambio y probablemente en mi cabeza estaba convencida de ello porque a mí, de ser él, me habría gustado cambiar, cosa que para algunas mentes incidiría en contra de la idea de estar juntos. Pero me daba igual.

—¿Seguiremos follando en Fráncfort? —le pregunté.

—No lo sé.

Igual que decir: por lo que sabemos, lo mismo tenemos los cerebros metidos en tarros.

—¿Cómo puedes ser teísta respecto a Dios y agnóstico respecto a si follaremos?

—Pues muy fácil, Ava. Apostaría a que mucha gente cree en Dios y no tiene opiniones sólidas sobre si deberíamos follar.

—Y algunas de esas personas están muy seguras de que Edith y yo no deberíamos hacerlo.

Aquello me salió antes de haber terminado de conformar el pensamiento. Los dos fingimos que no lo había dicho.

Dos semanas más y estaría a miles de kilómetros de ella.

* * *

Me llevó horas hacer la tabla PNI. Para la ponderación, asigné a las cosas muy importantes un 3, a las medianamente importantes un 2 y a las triviales un 1.

Cuando sumé las columnas, salió un empate.

49

Metí las camisas de Julian en la maleta solo iluminada por la luz de la lámpara de la mesilla de noche. Había llegado a conocerlas tan bien que sentía un orgullo artístico al notar diferentes cortes y texturas. La de COS tenía una etiqueta rectangular blanca por dentro. Me dijo que creía que a mí me gustaba esa camisa más que a él.

—Solo la etiqueta. Es una etiqueta bonita. Y el algodón huele a nuevo. ¿Cuál llevas puesta ahora?

No se acordaba. Le puse la mano en el cuello y le dije venga, vamos a quitártela y vemos.

—Estás rara —me dijo.

—Pensé que eso te gustaba de mí.

Me dijo que estaba cansado y que terminaría él mismo el equipaje. Me puse en pie para volver a mi habitación y entonces añadió:

—Tengo que darte las gracias por una cosa.

—¿El qué?

—Antes había una foto mía con Kat en la repisa de la chimenea. La quité del marco antes de que vinieras la primera vez.

—La foto de Dublín es mejor.

—Sí.

—No he visto la otra, pero sé que tengo razón.

—La tienes.

—Nos la podemos llevar a Fráncfort.

—Gracias. Vale.

—La saqué de internet.

—Ava.

—De nada —respondí—. Y gracias. Gracias por todo.

Abrió la ventana, se encendió un cigarrillo, se asomó y dijo:

—¿Estás segura de que quieres venir?

—Sí.

—Yo no estoy seguro de que te lo hayas pensado bien.

—Soy una mujer adulta.

En mi habitación, me puse a ordenar los cajones. Empecé por los pañuelos: unos pocos de mercadillos, el de seda de mi madre y el que Edith me regaló por mi cumpleaños. Eran todos demasiado finos para Fráncfort. Julian me compraría uno, aunque la gracia de eso se había desinflado desde que entendí que me compraba cosas para llenar vacíos que nunca me confiaría. Escribí «cuánto tiempo» en el navegador del móvil. El autocompletado me propuso: «se tarda en superar la pérdida de alguien». Los algoritmos aprendían rápido.

La habitación estaba fría. Me abrí paso por un cuello vuelto y se me quedó la cabeza encajada. Me eché a reír y me pregunté si lo habría hecho para comprobar que aún sabía cómo.

No vi que fuese perjudicial para nadie escribir un último borrador de autoficción, así que abrí una conversación con Edith y me puse a teclear:

> ojalá hubiese estado lista antes, pero lo estoy ahora. me has cambiado la vida. siempre lo recordaré. entiendo q nunca quieras volver a hablar conmigo. me romperá el corazón q no podamos estar juntas. pero nos perdemos demasiadas cosas x intentar no arriesgar nada. julian nunca podrá hacerme tanto daño como me hiciste tú cdo me amenazaste con romper conmigo, no xq no se atreva, sino xq no puede. xq no hay nada q perder. sí lo hay estando contigo, y me he hartado de ser una cobarde. me cuesta expresar cómo me siento pero

Pensé: soy una mujer adulta.

Volví hacia atrás y repasé las conversaciones en busca de alguien con quien hablar. Joan, último mensaje: «Por favor quédate mañana y ayuda a ordenar cajas». Tom, último mensaje: «¿Puedes hablar mañana?», enviado por mí, sin respuesta. Julian, último mensaje: «¿Llegas pronto a casa?», enviado también por mí, también sin respuesta.

Saltaron tres puntos moviéndose bajo el nombre de Edith. Me estaba escribiendo.

Tenía las piernas colgando por fuera de la cama. Las crucé para mantenerlas quietas y me puse el móvil en el regazo, colocándolo bien al milímetro, como una bomba de tiempo. Fijé la mirada en las fotografías de Londres enmarcadas y luego de vuelta a mis muslos, con complicados giros de barbilla, arriba a los edificios, abajo a los puntos.

A lo mejor ella los había visto primero debajo de mi nombre.

Edith podría haberse dado cuenta de que le había estado

escribiendo entonces, o en cualquier otro momento anterior. A lo largo de todas mis diatribas, todo mi trabajo de elaboración y reelaboración, ella podría haber estado viendo la animación.

Punto, punto, punto.

Sabía que Edith estaba escribiendo y viendo palabras formarse en su lado, pero en el mío no salían y eso las hacía subjuntivas: deseo o sentimiento, menos que un hecho. La elipsis significaba ausencia, no había nada en la campana de cristal, ninguna prueba, ni un solo espécimen. Los puntos formaban ondas como trinos en los pentagramas de Chopin, interprétalos como quieras.

Edith podría estar escribiendo cualquier cosa. Y, además, me había pillado.

La perspectiva debería haberme horrorizado. Los borradores que yo había escrito en nuestra conversación solo eran una parte del total, y todos los borradores juntos solo mostraban una fracción de la frecuencia con la que pensaba en ella, y había redactado varios al día. Hasta donde yo sabía, Edith a lo mejor me había pillado todas esas veces.

Pero si había visto los puntos, significaba que había estado mirando.

Aparte, yo quería que lo supiera.

Lo gesticulé con la boca y me eché a reír, pero en condiciones, sin el cuello vuelto. Estoy enamorada de Edith y quiero que lo sepa.

Le di a llamar. El tono sonó como unos puntos que tuviesen música.

50

Durante mi última semana en el apartamento, llamé para que arreglasen el grifo. El agente del casero anotó una serie de daños espurios que cobrarse de la fianza. Firmé. Gracias a las instrucciones de Julian, me enteré de que el nombre de la señora de la limpieza era Lea y de que tenía que comprarle unas flores. «Quizá nos volvamos a ver», me dijo la mujer. Y yo respondí: «Quizá». Recoger fue rápido. La mayoría de las posesiones de Julian habían entrado en su maleta, y yo me había deshecho de las cosas de Edith hacía algún tiempo.

Me llevé a la nueva profesora, Sadie, a conocer a los niños. Al contrario que Madison, Sadie era de verdad de Madison. Como novedad, no hizo ningún tipo de comentario sobre Irlanda. Los alumnos dijeron que nos parecíamos. Cuando Sadie se había ido de la clase, Katie Cheung me confesó en tono conspirador que yo era más guapa. Desde el Haikugate, había sido mi alumna favorita. Muchos me habían comprado tarjetas, incluidos algunos de cuyo nombre me había olvidado. Una manera de verlo era que sus padres vivían engañados sobre mis condiciones laborales y pensaban que tenía mucho más tiempo y energía mental de los reales para crear vínculos con sus hijos. La otra, que eran personas amables y yo había influido en sus vidas más de lo que creía. Ambas cosas, decidí, eran ciertas a la vez. No podía emocionarme demasiado ante el hecho de irme de un sitio en el que solo contrataban a personas blancas y donde no nos dejaban ir a mear, pero me alegraba haberles caído bien a los niños.

Julian me había mandado fotos de su piso en Fráncfort. No tenía aspecto de que nadie hubiese vivido allí antes, aunque tampoco lo había tenido el piso de Mid-Levels. «Es raro que no estés aquí», me había dicho por teléfono. Luego le escribí: echas de menos la diatriba marxista o q. Me respondió: Mi casa estará siempre allí donde haya una personita irlandesa clamando por guillotinarme.

Fui a la agencia a devolver las llaves. «¿Ha tenido una estancia agradable?», me preguntó el señor.

Le dije que sí.

Y entonces empecé el viaje de verdad. Ya había pasado la hora punta de la mañana, así que la escalera mecánica solo subía. Como alternativa, caminé quince minutos hasta la estación de Sai Ying Pun. Los torniquetes emitían pitidos tautológicos. Miré el mapa para asegurarme de que era la línea de metro correcta. Cantonés, mandarín, voz británica enlatada: se aproxima el tren a Chai Wan. Por favor, dejen salir a los pasajeros primero.

Mi equipaje era ligero. Había dado la mayoría de la ropa. Hablando por teléfono con mi madre sobre la mudanza, le había planteado tirarla por el conducto de la basura. Me dijo que eso sería un desperdicio. «Lo sé, pero también lo fue comprarla», respondí. Entonces decidí que las prendas perderían más rápido toda la historia que tenían detrás si las donaba. No tardarían en acoplarse a otras personas y arrugarse en los pliegues de sus rodillas y codos. Si las tiraba a la basura, habrían seguido valiéndome a mí.

Cantonés, mandarín, británico: próxima estación, Central. Me bajé, como hizo casi medio Hong Kong. Los trajes me habían parecido todos negros siempre hasta que Julian me había dicho: eso es demasiado formal para el trabajo. En realidad, eran unos tímidos grises y azules. Los niños llevaban mochilas para el colegio del tamaño de sus torsos y sus niñeras iban cargadas con instrumentos del tamaño de los niños. Por delante de mí, alguien tiró su Hello Kitty de peluche y me bloqueó el paso. Me abstuve de abrirme un hueco a la fuerza. Habría sido indicativo de que tenía prisa. Aunque sí que parecía estar dando golpecitos con el pie.

En la primera escalera mecánica que subía al vestíbulo, me coloqué a la derecha y busqué la Octopus. Si tenía la tarjeta preparada para pasar, ella no me vería rebuscando tras el torniquete.

En Hong Kong los octópodos daban nombre a esa tarjeta, aunque también se los comían. Era una cosa versátil. En mi segundo mes allí, uno de los amigos de Julian había descrito la tarjeta Octopus, un objeto que yo sí tenía, comparándola con la tarjeta Oyster, uno que yo no tenía. Julian había comentado entonces que la mayoría de los londinenses habían cambiado esa «tarjeta ostra» por una de débito. Mantuvieron entre los dos una larga conversación sobre Inglaterra a la que yo no pude aportar nada, desencadenada por una tarjeta de transporte público que yo usaba todos los días y para la que no había necesitado ninguna explicación. Y así eran los hombres británicos.

No me sabía ni una sola anécdota con la que concluir: y así era Edith. Pero estaba dando golpecitos con el pie otra vez.

Salir de la estación Central era como subir a las nubes. En realidad solo estabas saliendo de la zona subterránea por un túnel, pero a mí me resultaba siempre una cosa increíble. Miraba escaleras arriba, las escaleras más largas que hubiese visto nunca, y pensaba que lo siguiente en aparecer sería el cielo.

Otro tramo más hasta el vestíbulo.

Edith había dicho en la salida A, junto al Banco de China. Me lo apunté en las notas del móvil, lo busqué en el Maps e hice una captura de pantalla por si no me iban los datos. Ella estaría esperándome cuando yo llegara. Me planteé aparecer más temprano, pero daría igual en qué momento planease llegar, porque ella lo sabría y llegaría justo un poco antes. De ese modo, yo iría caminando y ella estaría de pie, quieta.

La brocha de pelo negro, allí arriba. Y su maleta.

La vi.

Ahí, al final de las escaleras, claro. Ella iba a llegar pronto arriba y seguiría andando. Yo haría lo mismo, me miraría el pelo en la cámara del móvil y luego iría hacia la salida. Ella estaría allí de pie, en la A, junto a Connaught Road, y levantaría la vista con una medio sonrisa de sorpresa mientras yo me acercaba. Los abrigos eran los dos de color beis. Parecía que lo hubiésemos planeado, principalmente porque lo habíamos planeado. Brochas con las que pintar, brochas con las que escribir: sin perder la compostura.

Adelanté a los trabajadores que subían por la izquierda. El hombre que quedó detrás de mí protestó, ni en inglés ni en cantonés. Edith estaba allí arriba, en mitad de la escalera.

Me quemaban las pantorrillas, el hombre de delante iba

rápido, el de detrás me estaba alcanzando y yo subía. Me reí de lo cerca que estaba. Un poco más rápido y la alcanzaría. ¿Qué le iba a decir? No lo sabía. La vería y ya se vería. Ella me preguntaría qué estaba haciendo y le diría... no lo sabía.

Sobrepasé al hombre que tenía delante, luego al siguiente y entonces tuve espacio para correr. Y eso hice. Era en cierto modo irónico esprintar subiendo por unas escaleras mecánicas que se habían construido para ahorrarme ese esfuerzo excesivo. En cierto modo. Pero me daba igual.

AGRADECIMIENTOS

No habría llegado a ninguna parte sin mi agente, Harriet Moore. Gracias a Lettice Franklin y a Megan Lynch, y a los equipos con los que trabajan las dos en W&N y Ecco. Me he encontrado con un montón de oportunidades en mi camino, pero me gustaría darles las gracias especialmente a Deirdre Madden, a Sally Rooney y a Ailbhe Malone.

Una vez sumadas todas las fases de producción, son cientos de personas las que han ayudado a crear y a distribuir este libro. Les estoy agradecida a todas y cada una de ellas. Gracias en especial a quienes vendéis libros, que os esforzáis más que nadie para ponerlos en las manos de quienes los leen.

Estuve trabajando de profesora a tiempo completo mientras escribía *Días apasionantes*, aunque ganaba lo suficiente para pagar el alquiler y no tenía ninguna responsabilidad de cuidados. Es mucho más complicado escribir cuando no disfrutas de esas condiciones. Todo el mundo merece escribir libros si así lo desea. Y eso nunca será posible en un mundo en el que existan los multimillonarios, pero sí en un mundo humanitario; gracias a todas las personas que están trabajando y organizándose para que lleguemos a ello.

Y, sobre todo, muchas gracias a mis amigas y amigos y a mi familia.

NAOISE DOLAN

Es una escritora irlandesa. Estudió literatura inglesa en el Trinity College de Dublín y en la Universidad de Oxford y ahora vive en Londres. *Días apasionantes* es su primera novela, de la que se publicó un extracto en la revista *The Stinging Fly*.

SOBRE *DÍAS APASIONANTES*

Me divertí mucho con esta novela. Es como una ingeniosa comedia marxista feminista. Y un poco malvada.

SADIE SMITH

Divertida, astuta y sin miedo: un debut ganador.

HILARY MANTEL

Los celos y la obsesión, el amor y el capitalismo tardío, el sexo e internet se unen en esta historia irónica y vigorosa sobre clase y privilegio.

The New York Times

Una historia rica y agudamente ingeniosa sobre las fricciones y complejidades del amor... Me mantuvo absorto hasta la última página.

The Times

Días apasionantes es más cáustica y cínica que las novelas de Sally Rooney, aunque igual de inteligente... Conecta con las preocupaciones sobre amor y clase de Austen o Wharton, pero su ligero tratamiento de la bisexualidad y el poliamor es completamente del 2020.

The Guardian

Un debut agudo, ingenioso y conmovedor... Dolan aporta una nueva visión del amor que hará de este libro un éxito entre aquellos que aman a las personas normales.

Independent

Un debut irónico y elegante... En esta ingeniosa sátira sobre los que tienen y los que no tienen, Dolan explora verdades tiernas y perspicaces sobre los caprichos del amor.

Esquire